EL NIÑO Y SU MUNDO

Las cosas que los padres saben hacer mejor

Una guía práctica para conocer mejor tus habilidades

Susan Isaacs Kohl

Título original: *The Best Things Parents Do*
Publicado en inglés por Conari Press, an imprint of Red Wheel/Weiser,
York Beach, ME, USA

Traducción de Joan Carles Guix

Diseño de cubierta: Valerio Viano

Distribución exclusiva:
Ediciones Paidós Ibérica, S.A.
Mariano Cubí 92 – 08021 Barcelona – España
Editorial Paidós, S.A.I.C.F.
Defensa 599 – 1065 Buenos Aires – Argentina
Editorial Paidós Mexicana, S.A.
Rubén Darío 118, col. Moderna – 03510 México D.F. – México

© 2005 exclusivo de todas las ediciones en lengua española:
Ediciones Oniro, S.A.
Muntaner 261, 3.º 2.ª – 08021 Barcelona – España
(oniro@edicionesoniro.com – www.edicionesoniro.com)

ISBN: 84-9754-190-1
Depósito legal: B-32.537-2005

Impreso en Hurope, S.L.
Lima, 3 bis – 08030 Barcelona

Impreso en España – *Printed in Spain*

A Carol,
cuyo amor ha despertado mi aprecio
por las cosas que los padres
saben hacer mejor.

Índice

Prólogo

Conocí a Susie Kohl por teléfono. Había solicitado una plaza para mi hija Ana Li en Meher Schools, un centro de preescolar situado a escasos metros de nuestro domicilio. Por aquel entonces Ana tenía dos años y medio, un escaso vocabulario y aún se hacía sus necesidades encima. Había sido abandonada en China. Nadie se había ocupado de ella. Cuando la adopté a la edad de trece meses, sólo pesaba 4,8 kg y era incapaz de darse la vuelta por sí sola, de boca arriba a boca abajo. Desde el momento en el que me la entregaron, no se había separado nunca de mí o de marido, Don.

Susie era la directora y me llamó. «He revisado la solicitud de Ana», dijo con una voz suave. «¿Le parece bien que nos veamos en su casa?» Al llegar nos saludamos, e inmediatamente se agachó para hablar con Ana. Jugaron juntas durante un rato. Al día siguiente, Susie vino de nuevo y siguió jugando y hablando con ella. Luego me sugirió que llevara a la niña a la escuela para ver dónde estaría. Y así lo hicimos durante algunas tardes, al finalizar la clases, para que Ana se acostumbrara poco a poco al aula y los juguetes. Finalmente llegó el gran día y la única persona que tenía los ojos bañados en lágrimas era su papá. La separación le creaba una profunda ansiedad. Estuvo llorando durante todo el camino a casa.

Ana pasó tres años en la escuela con la Srta. Susie, como la llama. Actualmente está en primer grado y es una niña brillante, segura de sí misma, con talento y sin el menor síntoma de traumas infantiles. Desde aquella primera llamada, Susie ha sido mi confidente y asesora de paternidad. Sé que mi hija es feliz y que gracias al consejo y atención de Susie, soy una madre.

En las primeras etapas de nuestra relación, me preguntaba qué podría hacer para que la transición de la casa a la escuela fuera lo más suave posible. Susie me dijo: «No hay nada como pasar veinte minutos con Ana por la mañana. El resto del día fluirá por sí solo». Y era verdad. No sólo me costaba menos salir de casa sin rabietas para ir a la escuela, sino que aquel corto espacio de tiempo también era uno de los momentos más dichosos para mí. Estábamos juntas en la cama, hablando de cualquier cosa que se le ocurriera a Ana. Luego, cada vez que se sentía confusa, lo comentaba con Susie, cuyos consejos y sugerencias eran cada vez más sensatas y eficaces.

Ahora que ya conoces mi historia, comprenderás por qué nunca me cansaré de recomendar la lectura de *Las cosas que los padres saben hacer mejor*. Todos los padres tienen la oportunidad de beneficiarse de la sabiduría y experiencia de Susie. Susie Kohl ha sido madre, profesora, maestra de maestras, administradora de preescolar y escritora de artículos y libros sobre paternidad durante muchos años. Sabe perfectamente de qué está hablando.

¡Y de lo que está hablando es de suma importancia! Cómo contribuir al desarrollo de este diminuto y vulnerable ser que ha sido confiado a tu cuidado; cómo atender a nuestras propias necesidades durante este milagroso y desafiante proceso mientras cumplimos con todas nuestras demás responsabilidades en la vida; y cómo navegar en un mar de complejidades sin darnos por vencidos, sentirnos culpables o desanimarnos.

Susie procede de lo que los psicólogos llaman «enfoque orientado a la proactividad». Presta atención a lo que está bien y es positivo, tanto en nosotros como en nuestros hijos, dejando a un lado los defectos, debilidades o errores, que correspondería a un enfoque orientado al déficit. Éste es atractivo de este libro. Nos ayuda a darnos cuenta de que estamos haciendo bien las cosas y que podemos hacerlas aún mejor si cabe, sin desmotivarnos y sin «tal vez debería...».

Recientemente he leído dos cosas que destacan la diferencia entre un enfoque orientado a la proactividad y otro enfocado en el déficit. La primera era un artículo que decía que los padres de hoy se sienten más ansiosos por «hacerlo bien» que en épocas pasadas. La segunda era la primera línea del famoso libro sobre cuidados del bebé del doctor Benjamin Spock: «Confía en ti, sabes más de lo que crees».

Así pues, considera *Las cosas que los padres saben hacer mejor* como un antídoto para la ansiedad de la paternidad, una mano tendida para que seas capaz de confiar cada vez más en ti mismo como padre o madre. La felicidad y bienestar de tus hijos serán tu recompensa.

M. J. RYAN, autora de *The Power of Patience*
y *Attitudes of Gratitude*

Agradecimientos

Mi trabajo en el presente libro ha propiciado innumerables debates y colaboración en mi familia. Gracias a mi hijo Matt, a mis hijas Gabrielle y Mari, a mi madre Mary y a mi nuera Lana por su paciencia y comprensión. Asimismo, me siento en deuda con Matt, Gabrielle, Mari y mi yerno Peter, así como también con Sharon Hatami, amiga de la familia, por dedicar largas horas de su tiempo a leer el original y ofrecerme sus comentarios. Mi marido, Jeff, el mejor padre y abuelo que conozco, me ayudó de una y mil maneras que nunca podría agradecer lo suficiente. Considero el apoyo de mi querida familia como un reflejo de la dicha y el privilegio que he experimentado día a día compartiendo mi vida con ellos.

Gracias también a los amigos que compartieron información, experiencia y relatos, y a los padres que llegaron a convertirse en excelente amigos a través de tanta colaboración, y muy especialmente a Ellen Evans, mi «socia» en la exploración de que es «mejor» para los niños, Ira Dietrick, Caryl y Michael Marks, Karen Milligan, Monika Kochowiec, Adell DePersia, Diane Flolov y Andy Schneider, Ann Reed, Cecilia Soares, Dana Evans, Denise Brooks, Kathy Dadachanji, Karen Love,

Eric i Terru Hummel, Amanda Wall, Lily Remer, Maggie O'Hern, Aida Faria, Carolyn Newbergh y Kevin Fagan, Rosemary Kirbach, Margo McKenna, Sarah Truebridge, Carol Palley, Robineve Cole, Loel y Rob Miller, Lynn Tidd, Lisa Andrews, Tamara Freda, Steve Harrell y Susie Smart, amén de otros muchos que se mencionan en este libro.

Quiero expresar mi agradecimiento a mi amigo y colega autor Jim Peterson, por presentarme a mi extraordinaria agente literaria, Barbara Deal, y a mi querida Mary Jane Ryan por creer decididamente en este proyecto, escribir el prólogo y presentarme a los extraordinarios editores Jan Johson y Jill Rogers.

Por último, gracias a todos los padres con los que trabajo a diario y con los que he colaborado a lo largo de los años por su afanosa dedicación e interés para iluminar el camino de las parejas de hoy y del futuro.

Introducción

Eres un padre mucho mejor de lo que imaginas

Deja a un lado tu interés por tus puntos débiles y explora los intrincados detalles de tus puntos fuertes.

MARCUS BUCKINGHAM Y DONALD CLIFTON

Sin duda habrás oído hablar de observadores de aves e incluso de observadores de personas. Pues bien, durante más de treinta años, como educadora y asesora de padres, he observado las mil y una formas todas ellas maravillosas en que los padres encuentran el amor de sus hijos y estimulan su crecimiento. Quiero padres en todas partes que sean capaces de ver lo que yo veo. De eso trata precisamente este libro, de ayudarte a ser consciente de las cosas tan extraordinarias que haces. Este libro destaca la forma en la que las personas ordinarias desarrollan asombrosas habilidades que les permiten superar los retos de la paternidad en todas las etapas de desarrollo.

Los padres con los que trabajo a menudo se sorprenden de su inagotable talento en su proceder. Cuando vienen a mí con dilemas acerca de un niño, a menudo traen consigo una tonelada de confusión y dudas personales. En la actualidad, las parejas sufren el bombardeo de las opiniones contrapuestas de los demás, muchos de ellos expertos. ¿Otra forma tal vez de crear ansiedad? En nuestra cultura, la confusión se suele considerar una debilidad, pero personalmente he aprendido a tildarla de punto fuerte. En efecto, su confusión es un «primer paso» hacia una respuesta sensata.

Cuando los padres superan este estado, inician un proceso de aprendizaje. Con frecuencia, las parejas que conozco son mucho mejores padres de lo que creen. Desde mi punto de vista, mi trabajo consiste en ayudarlos a tomar conciencia de sus capacidades y animarlos en su búsqueda del nuevo crecimiento. Ésta es la razón por la que quiero dedicarte también a ti el presente libro.

La obra también está diseñada a modo de carta de amor y nota de agradecimiento hacia los padres en la que se puede leer: «Éstas son las cosas maravillosas que sé que estás haciendo, aunque seas incapaz de verlas por ti mismo».

La premisa de que la gente necesita un *feedback* positivo y una consciencia de sus puntos fuertes está presente hoy en día en casi todos los ámbitos de la vida. Las empresas recompensan rutinariamente a sus empleados por su alto rendimiento, y muchas de ellas incluso los ayudan a descubrir sus talentos naturales y potenciar sus técnicas. En otras áreas, a las personas que desean perder peso o hacer más ejercicio se les enseña a aplaudir su propio esfuerzo y celebrar sus progresos. Nos hemos convertido en expertos en «mimarnos» en casi todos los aspectos de la vida menos en la educación de los hijos.

Mi historia es la de cualquier padre

Para la mayoría de nosotros, intentar ser unos padres ideales es una experiencia abrumadora. También lo fue para mí. Cuando mis hijos eran pequeños, mis amigos y yo creíamos que estábamos haciendo cosas diferentes de las que habían hecho nuestros propios padres, creando entornos perfectos y estimulantes. Era una fanática de la importancia de «la familia». Desde que mis hijos eran muy pequeñines, me refería a nuestra familia nuclear como un círculo mágico. Pero el camino que seguía daba giros inesperados, y mi matrimonio los revelaba. Me di cuenta con sumo pesar de que no podía protegerlos de formas mágicas y de que muy probablemente su vida no iba a ser tan perfecta como había imaginado.

Me sentía confusa. No sabía ser una madre soltera y albergaba serias dudas acerca de si sería capaz de afrontar con éxito aquel desafío. La propia expresión «madre soltera» me parecía por sí sola un oxímoron. Había heredado la creencia de mi familia de que la paternidad era cosa de dos. Pero dado que tenía que intentar ser un «padre completo yo misma», decidí vivir las horas de una en una. Si me hubiera dejado llevar por mis dudas personales, no habría sido capaz de contribuir positivamente al crecimiento de mis hijos. Como consecuencia, me vi obligada a analizar mis puntos fuertes y tomar conciencia de mis éxitos, hasta el punto de que animar es una de las cosas que he hecho mejor, tanto a mí misma como a los demás.

Por otro lado, soy una mujer de recursos. Empecé a buscar ayuda de otras personas para que cuidaran de mis hijos. Fue entonces cuando mis definiciones de los términos «padres» y «familia» empezaron a cambiar. Descubrí que mucha gente ejercía de padres de mis hijos, aun teniendo en cuenta que no habían obtenido este título por vía biológica. Recibían el apoyo y el cariño de innumerables personas que intervenían en su vida. Empecé a darme cuenta de que no estaba sola y de que todos cuantos cuidamos de niños formamos una gran familia. Y he estado en ambos lados. Con los años, también yo he ejercido de madre de incontables pequeñines. De ahí que cuando en este libro me refiero a los padres, en realidad me estoy dirigiendo a toda la gente que mantiene una relación de afecto con un niño.

En cierto modo, mi historia es la historia de cualquier padre o madre. Todos empezamos con nuestra propia fantasía acerca de lo que será la paternidad y lo que queremos que sean nuestros hijos. Más tarde, la vida real diluye repetidamente aquella fantasía y alcanzamos nuevas percepciones, adoptamos nuevas actitudes e intentamos hacer las cosas de una forma diferente. No siempre es fácil, pero ser capaces de dejar atrás nuestras creencias de cuento de hadas nos permite disfrutar del privilegio de saber más. Los obstáculos, quebraderos de cabeza y crisis nos dan la oportunidad de comprender muchísimo mejor las maravillas del crecimiento humano, tanto nuestro como de nuestros hijos, tal cual son en realidad.

Este libro te brinda la oportunidad de modificar tu perspectiva sobre la paternidad y verte a ti mismo y a los padres que te rodean bajo una nueva luz. Finalizado un capítulo, medita hasta qué punto lo que se describe como «mejor» coincide contigo y con las situaciones de tu vida. Dedica algún tiempo de reflexión personal a considerar las preguntas y sugerencias que figuran al término de cada sección, pues establecen un vínculo entre el material de cada capítulo y tu experiencia como padre y como hijo. Tomarte el tiempo necesario para sintonizar con las perspectivas de nuestra infancia, incluso si fue dolorosa, permite comprender mejor nuestras reacciones automáticas y comprender a nuestros hijos con mayor claridad.

El libro se divide en cuatro partes. Empezamos explorando las actitudes que ayudan a los padres a sentirse felices y a mostrarse más sensibles en su rol. La segunda parte examina las formas positivas en las que los padres se relacionan con sus hijos, es .decir, las cosas que realmente hacen. La tercera aborda las formas esenciales que necesitan las parejas para cuidar de sí mismas, o lo que es lo mismo, las mejores cosas que hacen para revitalizarse a sí mismos y alimentar su propio crecimiento. Y la cuarta parte centra su atención en las habilidades de los padres para apoyarse entre sí, trabajar juntos y ayudar a sus hijos a orientar su vida de una forma constructiva y significativa.

No es un libro para «tragar» y luego colocar en la estantería. Lee un capítulo y busca similitudes en tu vida. ¿Qué relación guarda con la forma en la que te trataron de niño? ¿En qué coincide con tu forma de actuar como padre, abuelo o amigo? ¿Qué puedes aprender?

Espero que te conviertas en un «observador de padres»

Imagino que con frecuencia te fijarás en la gente que conoces, y también en la que no conoces, apreciando las formas en las que se relacionan correctamente con los niños. Si tomamos buena nota de los ejemplos positivos que nos rodean, nuestro mundo cambiará. Seremos más conscientes de nuestros esfuerzos por comprender mejor las necesidades de los niños y de satisfacerlas. Prestar atención y compartir nuestras percepciones de desarrollo positivo nos permitirá valorar mucho más a los padres y cuidadores. Respetaremos mucho más a los padres, profesores y cuidadores, y la sociedad dispondrá de más elementos para atender sus necesidades. Nuestro aprecio hacia las personas que cuidan niños es una especie de enorme ola de apoyo que cambiará nuestros puntos de vista. Ahora empezaremos nosotros, pero estoy convencida de que ya se está urdiendo la gran revolución de la paternidad positiva.

PRIMERA PARTE

LAS MEJORES ACTITUDES DE LOS PADRES

El primer paso en nuestro viaje es examinar nuestras actitudes, aquellas que hemos heredado de nuestra familia y nuestra sociedad, y las expectativas únicas que aportamos a la paternidad. A menudo elegimos ser padres animados por la fantasía popular de que tener un hijo nos completará y alimentará con un amor muy especial. Ni que decir tiene que la paternidad es un curso de amor, pero para poder comprender sus lecciones debemos adoptar actitudes realistas y flexibles.

Nuestra sociedad nos lleva a creer que si compramos los libros y toda la parafernalia infantil adecuados, la paternidad será más fácil. Lo cierto es que, si lo hacemos así, en parte nos sentiremos recompensados instantáneamente, pero cuando descubrimos que lo que hay que hacer como madre o padre es en realidad uno de los retos más difíciles a los que nos podríamos enfrentar jamás, afloran las confusiones. «¿Tiene algo que ver conmigo?» «¿Le pasa algo a mi hijo?» «Tal vez no me quiere» «Si me equivoco, ¿le perjudicaré?» Reconocer que estas dudas se basan en las perspectivas *naïf* que fomenta nuestra sociedad puede ayudarnos a fortalecer nuestra posición y aprender más acerca del desarrollo humano.

Nuestras actitudes subyacen en todo cuanto hacemos, y nos corresponde a nosotros identificarlas y transformarlas. Una de las mejores cosas que podemos hacer es aprender a examinar y actualizar nuestras actitudes, pero siempre desde una perspectiva sensible y tolerante. Aunque el entorno, por sí mismo, tienda a hacer un especialísimo hincapié en nuestros errores como padres, la verdad es que el aprendizaje no es el resultado de la autocrítica ni de la crítica de nuestros hijos. No somos buenos padres simplemente porque tenemos todas las cualidades necesarias para hacer la tarea o porque aprendimos de unos padres «perfectos», sino que mejoramos como padres aceptando el cambio, buscando nuevas sabidurías y evitando errores. Una buena parte de la satisfacción personal de los padres es una consecuencia de observar el crecimiento no sólo de nuestros hijos, sino también de nosotros mismos. Como dijo William James: «El mayor descubrimiento de cualquier generación es que un ser humano puede alterar su vida alterando su actitud».

CAPÍTULO 1

PROGRESO,
NO
PERFECCIÓN

Progreso, no perfección

Nadie te dará un diploma de padre. Nadie te calificará. No tienes porqué hacerlo a la perfección. Cometerás errores [...]. Acepta esta verdad y te resultará mucho más fácil ser un buen padre.

JOHN Y LINDA FRIEL

Cuando imparto un cursillo de disciplina, los nuevos asistentes siempre llegan algo nerviosos. Me he acostumbrado a ello. Hablar de cómo debemos tratar a nuestros hijos puede crear en muchos de nosotros un cierto sentimiento de autocrítica. ¿Quién lo está haciendo bien? ¿Quién no comete errores? Durante los cursillos, los participantes suspiran aliviados cuando descubren que otros padres comparten las mismas frustraciones. Nadie hace siempre las cosas como es debido. La reflexión, y no las respuestas automáticas, contrarresta la voz que dice a estos padres que no están haciendo un buen trabajo.

Es difícil encontrar a alguien que carezca de un espíritu crítico interior —auténticos mares de dudas— en relación con su confianza como padre. ¿Por qué?

De lo que hacemos bien no recibimos prácticamente ningún *feedback*.

- Los «expertos» ponen el listón demasiado alto; apenas hay nada que hacer para rendir al «máximo» en nuestros desafíos diarios.
- A menudo los psicólogos culpan a los padres de los problemas emocionales de los hijos y no ofrecen ningún *feedback* sobre lo que los padres y madres están haciendo bien.
- Con mucha frecuencia, nos criticamos porque nuestros

padres hacían lo mismo con nosotros. A mayor cantidad de errores que nos evidenciaban papá y mamá, más nos resistimos a sentirnos satisfechos como padres.

Estoy convencida de que el primer paso en el crecimiento en el ámbito de la paternidad es tomar conciencia de que la voz de la crítica no atiende a la realidad. Más aún, incluso se puede contrarrestar. El problema es que la mayoría de nosotros intentamos desdeñar los pensamientos críticos dejándolos a un lado. A decir verdad, negar los pensamientos críticos puede fortalecerlos. Personalmente, y para evitarlo, a menudo tomo nota de lo que está diciendo mi crítica interior para poder analizar sus planteamientos más objetivamente.

Si lo hiciera ahora y relacionara mis puntos de vista críticos acerca de mi estilo de paternidad, incluso teniendo en cuenta que mis hijos ya son adultos, podría ser algo así:

- Siempre destacas lo incorrecto de tus hijos.
- Siempre les creas preocupaciones innecesarias.
- Deberías buscar la mejor manera de apoyarlos, pero nunca lo haces.

La lista podría ser interminable. Cuando analizo cada punto, observo enseguida que la crítica subraya sus afirmaciones con términos tales como «siempre», «nunca» o «deberías». El objetivo de mi crítica es hacerme creer que un buen padre debe saberlo todo y hacerlo todo a la perfección. Por mi parte, puedo rebatir estos «absolutismos» recordando que:

- no siempre destaco lo incorrecto;
- procuro no comentar mis preocupaciones a mis hijos;
- y siempre intento escucharlos y apoyarlos, aunque a veces cometo errores; después de todo, sólo soy un ser humano.

Examinar los pensamientos críticos desde una perspectiva objetiva mina su poder y permite empezar a vislumbrarnos bajo una luz más cálida. Criticarnos o compararnos, o comparar a nuestros hijos, con otros sólo crea confusión. Una de las mejores cosas que podemos hacer es comprender que la paternidad es un proceso de aprendizaje y que nadie tiene las «respuestas correctas». Todo aprendizaje requiere autoconsciencia y autoaceptación. Entretanto, es necesario animarnos y estimularnos tal y como lo haríamos con un amigo. Una madre me dijo recientemente: «Siempre lo hago mejor cuando estoy relajada y en paz conmigo misma».

Sin emitir juicios de valor, piensa en las veces en que te cuestionas tu paternidad. ¿Buscas respuestas a tus cavilaciones o te limitas a sentirte mal?

Para identificar tu crítica y reducir su poder, bautiza a tu voz interior con un apelativo que menoscabe tu confianza. Frases tales como «Gracias, Srta. Perfección» o «Pues claro que sí, Sr. Impecable» te pueden ayudar a reconocer tu voz interior y a combatirla. Escríbete una carta de agradecimiento por todo lo que haces bien.

Comparaciones confusas

Alguien nos cuenta que tal o cual ha tenido un hijo y nos formulamos preguntas como «¿Será niño o será niña?» «¿Cuánto pesará?» «¿Tendrá pelo?». El indio Athabaskan se enteró de que había nacido un niño y preguntó: «¿Cómo se llama?». Desde el principio hay que respetar al recién nacido como un ser humano de pleno derecho.

Lisa Delpit

Cuando mi hijo Matt tenía cuatro o cinco meses, una amiga y yo solíamos reunir a nuestros bebés para que «jugaran». Los sentábamos frente a frente en una mantita y observábamos lo que hacían. Su hija, Angel, había nacido unos cuantos días después que Matt, pero estaba un poco más desarrollada físicamente. Se inclinaba hacia delante para tocar el rostro de mi hijo o intentaba meterle un dedito en el ojo cuando estábamos distraídas hablando de otras cosas.

Pronto descubrí que el tema de conversación más habitual entre las nuevas madres es el de los progresos de su bebé. Nuestra idea cultural de «cuanto antes, mejor», alcanza su punto más álgido de absurdo cuando se refiere a las expectativas de desarrollo de los hijos. ¿Tenía alguna importancia que Angel le metiera el dedo en el ojo a Matt antes de que ésta fuera capaz de tirarle de la oreja? Observar el crecimiento en varias generaciones de niños me ha permitido descubrir que en general las comparaciones no tienen ningún significado. En realidad, pueden confundir. ¿Qué habría ocurrido si, como consecuencia de lo ocurrido, hubiera concebido la alocada idea de que Matt sufría un «grave» retraso en su desarrollo físico? ¿Habría hecho cuanto estuviera en mis manos, más tarde, para evitar que jugara al fútbol o que ascendiera hasta la cumbre del Mt. Shasta con su padre? Afortunadamente, no concedí la menor importancia a la aparente «precocidad» de Angel, y estoy segura de que actualmente no le sirve absolutamente de nada. Me gustaría que fuéramos capaces de observar a nuestros bebés con respeto, preguntándonos por la exclusividad y univocidad que han traído consigo a este mundo.

Ahora que mis hijos son adultos, es más fácil comprender que las formas en las que aconteció su desarrollo tenían muy poco que ver con las personas en las que se convirtieron. Pero cuando eran pequeños me preguntaba por qué eran tan diferentes. Es un error creer que compararlos conducirá a reflexiones importantes.

El problema con las comparaciones reside en el inevitable «etiquetado». Las comparaciones más profundas en nuestra cultura están relacionadas con la inteligencia de los niños. ¿Qué padre no quiere pensar de su hijo que es inteligente y capaz de triunfar en la vida? Sin embargo, el éxito en la escuela no tiene por qué ser necesariamente un reflejo de un mayor o menor cociente intelectual. En su revolucionario libro *How Your Child Is Smart*, la doctora Dawa Markova describe la diversidad de pautas de aprendizaje que manifiesta el niño. Lamentablemente, las escuelas están diseñadas para satisfacer las necesidades auditivas y visuales de los alumnos, de tal manera que siempre se suelen considerar más inteligentes. Markova recomienda desarrollar ámbitos de trabajo que puedan beneficiar a los niños mediante experiencias manuales y de evolución en el entorno. Comprender los estilos de aprendizaje puede reducir el etiquetado de los niños como menos capaces.

En casa, los niños a menudo se delimitan en roles: uno come muy bien, mientras que otro apenas prueba bocado; a uno le encanta leer, mientras que a otro no le interesa lo más mínimo; uno ríe, grita y alborota, y otro es más tranquilo e introvertido. Muchos de estos roles son el resultado de una evaluación bienintencionada. «¡Mira cómo come!» En realidad, sería mejor decir: «Pa-

rece que hoy tienes mucho apetito». Cuando un niño se da cuenta de que se le ha asignado un rol, busca otra forma de encontrar
su identidad. Sus tendencias naturales tal vez hayan sido comer o
leer ávidamente, pero el mero hecho de observar que a su hermana se la considera la «mejor», puede impulsarlo en otra dirección.

En su best-séller *The Tipping Point*, Malcolm Gladwell señala que el ser humano es tan complejo que es imposible contener
todas sus cualidades en nuestra mente. La gente se comporta de
formas diferentes en distintos contextos y relaciones, y muchos
de sus rasgos característicos son contradictorios. ¿Quién podría
abarcarlos? En opinión de Gladwell la mente humana posee una
especie de «válvula reductora» que nos ayuda a simplificar y
consolidar nuestra imagen como persona, aun teniendo en
cuenta que esa persona está sometida a cambios constantes.

Si quieres activar tu válvula reductora, no limites a tus hijos
a una imagen particular («Johnny es muy tímido.» «Tillie es muy
desorganizada.»). Teniendo en cuenta que las comparaciones
entre los niños son especialmente odiosas, ésta es una de las actitudes más apropiadas que puedes adoptar. Piensa en cada uno
de ellos como en un manantial de excelentes cualidades que espera para aflorar a la superficie. Y para tener siempre presente su
vasto potencial, pensemos en la cita de Ralph Waldo Emerson:
«Lo que subyace detrás de nosotros y delante de nosotros son
minúsculas partículas de material comparado con lo que habita
en nuestro interior». Nuestros hijos merecen el mismo respeto
y tolerancia que no dudaríamos en ofrecer a un amigo.

Piensa en tu infancia. ¿Algún adulto influyó negativamente en ti?
¿Fuiste capaz de superarlo?

No le hablaría así a un amigo

Habla cuando estés enojado y te arrepentirás toda la vida
de semejante discurso.

Cora se considera eficiente y decidida. Dos de sus hijas parecen
mostrar esa misma actitud, pero según cree, la mediana, Phoebe, es lenta y soñadora. «Cuando toda la familia está lista para salir, Phoebe aún se está vistiendo», dice Cora. «Puede tardar una
hora en prepararse un bocadillo para el desayuno; no para de hablar y se distrae. Me preocupa. Ya tiene doce años y debería ser
capaz de hacer las cosas con mayor presteza. Aún es una niña,
pero ¿se las arreglará por sí sola cuando llegue a la adolescencia?
Tal vez se salga de la carretera y se estrelle contra un árbol.» En
ocasiones, la lentitud de Phoebe saca de las casillas a Cora y ha
tenido que aprender a controlar su temperamento. Cuando pre-
siente un estallido de frustración, se excusa y pide «tiempo
muerto».

«Sé que si hablo cuando estoy enfadada, diré algo que me pesará, y ya será demasiado tarde para volver atrás. Cuando regreso
del dormitorio de Phoebe una hora después de cuando se suponía que debería de haberlo ordenado y todavía hay un montón
de cosas esparcidas por el suelo, mi reacción inmediata sería es-
petarle: "¿Pero qué pasa contigo? ¿Estás ciega niña? Eres tan lenta. Tus hermanas habrían terminado hace media hora". Pero
procuro no hacerlo. Está bien malhumorarse, pero no hacer juicios de valor acerca de tu hija y someter su sentido del "yo" a un
bombardeo masivo de imprecaciones. Nunca diría cosas así a un
amigo, y quiero respetar a mi hija, como mínimo, igual.»

He visto a Cora en uno de sus ataques contenidos de ira y me ha sorprendido su capacidad para no decir una sola palabra. Luego, cuando se ha tranquilizado, habla de lo que provocó su disgusto, pero sin crear un sentimiento de culpabilidad en su hija. Puede decirle que se siente descorazonada porque esperaba que estuviera lista a tiempo, pero ha aprendido a hacerlo cuando el malhumor se ha disipado.

A veces, cuando se enoja con Phoebe, llama a «su amiga más inteligente» y le pide un «reajuste en su actitud». Ésta le recuerda que su hija es una niña de doce años completamente normal y que está bien que sea diferente de ella. Es posible que se tome su tiempo, pero es una buena estudiante y asume sus responsabilidades. Es generosa, congenia con los demás y es una chica muy popular entre sus compañeros. Tras oír la opinión de su amiga, Cora se da cuenta de que está exagerando las cosas. Quiere mucho a Phoebe e intenta recordar que su extremada agilidad al hacer las cosas no es un problema de la niña, sino suyo. Por nada del mundo desearía etiquetarla como la «distraída» de la familia, e intenta adoptar, conscientemente, una nueva actitud.

Enfadarse con los hijos es inevitable. Pero descubrir lo que enciende la mecha y ser capaz de reprimir los insultos o los ataques son dos de las cosas más beneficiosas que se pueden hacer. Aunque como madre la responsabilidad de Cora es orientar a Phoebe, sabe perfectamente que criticarla en un arranque de ira no hace sino desanimarla y tratarla con una absoluta falta de respeto. Si sólo nos dedicáramos a destacar los defectos de nuestros amigos, es muy probable que jamás llegáramos a entablar una estrecha relación de proximidad con ninguno de ellos. Me gusta el test mental de Cora acerca de lo que es apropiado: «¿Le hablaría así a un amigo?». Piensa en las cosas que tradicionalmente los padres han dicho a sus hijos («¡No puedo creer que hayas hecho esto! ¿En qué estabas pensando? ¿Cómo has podido ser tan estúpido?») y cuán hostil y degradante sonaría si uno adulto se lo dijera a otro. (Lamentablemente, algunos lo hacen.)

El viejo proverbio «Piensa antes de hablar» expresa una de las actitudes más importantes que se pueden adoptar. Las palabras pueden herir como aguijones, y el abuso verbal puede tener efectos muy duraderos. Los padres tienen la responsabilidad de crear confianza, no destruirla, independientemente de la provocación.

Aun así, todo esto puede hacer que algunas parejas tomen la firme determinación de no volver a enfadarse con sus hijos, cuando lo cierto es que intentar erradicar el enojo de nuestro repertorio emocional es prácticamente imposible. La paternidad es una de las tareas más difíciles que se pueden realizar, y en ocasiones surgirán inevitables fricciones a causa de las exigencias que impone. En cualquier caso, intentar comprender a toda costa lo que desencadena el disgusto para aprender a controlarlo adecuadamente es una de las mejores cosas que se pueden hacer. Ser conscientes de las situaciones que nos hacen perder los nervios incluso puede conferirnos la capacidad de mantener una mayor tolerancia en situaciones de estrés.

Aprender a controlar la lengua es el fundamento de la conservación de las relaciones con los hijos y de fortalecer sus sentimientos positivos para consigo mismos, y disculparse cuando no se puede evitar, los ayuda a comprender lo difícil que es controlarlos y que todos cometemos errores.

Reflexiona un poco y grábate en una cinta de audio alguna de las ocasiones en las que pides a tu hijo que cambie de comportamiento. Luego escúchalo. Es muy probable que la próxima vez introduzcas algunas modificaciones.

Todos cometemos errores

El hombre que no yerra, no suele hacer nada en la vida.

THEODORE ROOSEVELT

Los errores de Meredith, de catorce años, en el campeonato de baloncesto han sido objeto de acaloradas críticas. Su equipo representa a toda el área de la Bahía de San Francisco, y cada año participa en las eliminatorias para el campeonato nacional. A este nivel de competición, el juego de cada chica se ve sometido a un profundo escrutinio. Los partidos se graban en vídeo, se analizan los errores y los entrenadores se esfuerzan por perfeccionar la técnica de las jugadoras. En ocasiones, los padres incluso reprenden y castigan a sus hijas por los errores cometidos. ¡Presión! ¡Presión! ¡Presión!

¿Cómo afronta la situación la madre de Meredith, Dawn, cuando todo el mundo echa la culpa a su hija de haber cometido un error que ha costado un punto al equipo? Le dice que no se preocupe, que todo el mundo falla una canasta de vez en cuando y que de lo que se trata es de disfrutar jugando. «Si quieres saber la verdad, no me importa quién gana», dice Dawn. «No tengo la menor intención de hacer de ella una estrella. Otros se empeñan obstinadamente en que su hija sea la mejor, la que destaque por encima de las demás y la que esté más tiempo en la pista. Es su único objetivo. Un padre se enfureció tanto con el árbitro que se presentó en el estadio con un revólver. Desquiciante, ¿no crees?» Y sigue diciendo con vehemencia: «Sólo apoyo a Meredith con el baloncesto porque le gusta. En realidad me preocupan todas las chicas, sus sentimientos acerca del juego. Han asumido un compromiso extraordinario y deben sentirse satisfechas de sí mismas».

Cada año, Dawn y su marido John preguntan a su hija si quiere continuar. Aun en el supuesto caso de que pudiera obtener una beca de escolaridad, no la presionan en lo más mínimo para que mejore su rendimiento o continúe practicando el baloncesto. Curiosamente, su actitud de apoyo incondicional cuando comete errores durante el juego ha hecho que Meredith se sienta más relajada en las situaciones tensas de un encuentro, lo cual le permite decidir mejor lo que debe hacer. «La han nombrado capitana del equipo porque se han dado cuenta de que es capaz de mantener la calma en los momentos más difíciles», dice Dawn. «Cuando sabes que te van a crucificar si cometes un error, te pones en tensión y no piensas con claridad.» Dawn y John son conscientes de que las crisis constituyen una parte importante de todo proceso de aprendizaje y siempre se lo recuerdan a su hija.

También merece la pena destacar que Meredith es la única jugadora que sigue en el equipo desde segundo grado. En la actualidad está considerada como la más valiosa. Aun así, ser la mejor no es lo que realmente importa a sus padres. «Si mañana deja el baloncesto, habrá aprendido muchas cosas acerca de las personas. Al principio, el equipo estaba formado por chicas blancas, pero ahora sólo quedan dos; las demás son negras. El verano pasado, sus compañeras la bautizaron con un nombre afro-americano honorífico. Tras haberla votado como capitana, tuvo que aprender mucho acerca del liderazgo y el trato justo. Se preocupa muchísimo por todas las chicas, profesional y humanamente.» Así pues, en esta asfixiante atmósfera competitiva, Dawn y John han sido capaces de instilar sus valores de compasión, cooperación y tolerancia con los errores.

¿Cuál es tu actitud en relación con los errores? ¿Enseñamos a nuestros hijos a limpiar la leche que han derramado o creemos que están intentando arruinarnos el día? La primera vez que el niño pinta una mesa, ¿le enseñamos a no salirse del papel o nos enfadamos con él por haberse portado mal? ¿Aprovechamos los errores como oportunidades para el aprendizaje?

Presionar a los niños para que no cometan errores les retrae, los inhibe, les impide intentarlo de nuevo por miedo a volver a fracasar. El famoso educador John Holt escribió un best-séller titulado *How Children Fail*, en donde aseguraba que los niños no querían hacer problemas de matemáticas porque habían «aprendido» a tener miedo a cometer un error. Los alumnos que son buenos en matemáticas saben que un error significa que hay que seguir probando y continuar adelante con confianza. Este principio no sólo se aplica a las matemáticas, sino a todos los aspectos de la vida. Creer que los errores fomentan el aprendizaje es una de las mejores actitudes que puedes adoptar para tus hijos y para ti mismo. Ayuda a comprender que el esfuerzo cuenta, independientemente de cuántas veces se fracase. Como dice Theodore Roosevelt en la cita inicial de este capítulo, quien no comete errores, no suele «hacer nada en la vida».

Recuerda alguna ocasión en la que alguien reaccionó con compasión ante un error que lamentabas haber cometido. ¿Qué sentiste? Piensa en las veces que te muestras paciente con los errores de tu hijo y en las que te sientes frustrado. ¿Qué podrías hacer para no olvidar jamás el extraordinario valor de los errores?

El esfuerzo cuenta

Las escuelas deberían enseñar a los niños a aprender, y los padres deberían enseñarles a comportarse sobre la base de reglas de actuación y ética de trabajo en casa.

Dr. Mel Levine

Corrine se ríe cuando le digo que intente que su hijo descanse un poco durante los deberes. «Ya sé que no es habitual, pero a Ahmed le gusta trabajar duro y hay que recordarle constantemente que debe descansar entre tarea y tarea.» Ésta es la actitud que Corrine y su marido Al han adoptado siempre en relación con los deberes escolares de su hijo. Le han enseñado a esforzarse al máximo en sus responsabilidades, pero de una forma organizada y descansando de vez en cuando. También han establecido rutinas: el trabajo es lo primero, y luego el deporte y las actividades extraescolares.

Cuando empezó la secundaria, Corrine le preguntó si podía ayudarlo a revisar sus trabajos, e incluso diseñó un sistema de archivo para guardar todos los deberes corregidos por orden cronológico. Esto permitió a Ahmed en más de una ocasión mejorar su nota cuando un profesor se había equivocado al calificar un trabajo.

Los padres de Ahmed siempre lo han elogiado por trabajar con ahínco en sus tareas académicas, felicitándolo por la satisfacción de un trabajo bien hecho, y no por ser inteligente y hacer las cosas con facilidad. «No hablamos en términos de inteligencia, sino de lo mucho que aprende esforzándose al máximo y ampliando sus conocimientos.»

Su énfasis en el esfuerzo ha sido corroborado por los investigadores. La doctora Claudia M. Mueller y la doctora Carol S. Dweck, psicólogas de la Universidad de Columbia, advierten que etiquetar a los niños como «inteligentes» los impulsa a intentar conservar esa cualidad. Seis estudios psicológicos realizados en 1998 con alumnos de quinto grado evidenciaron que ante una adversidad, los chicos que han sido etiquetados de «inteligentes» son incapaces de reaccionar para afrontarla y superarla. Los estudios han concluido que valorar el trabajo duro los anima a creer que pueden rendir a largo plazo.

La actitud de que el esfuerzo cuenta y apoyar al niño en su trabajo son dos de las mejores cosas que pueden hacer los padres. Aun así, puede ser difícil. Evaluar nuestras propias experiencias escolares y convertirse en un buen asesor lleva tiempo y requiere una profunda reflexión. Mis padres solían motivarme diciendo cuán inteligente era y la facilidad con la que podía hacerlo todo. Cuando llegó la geometría y otras asignaturas complejas, fue incapaz de darme cuenta de que exigían un mayor esfuerzo y no pude pasar de la C.

Después de ser madre, también solía decirles a mis hijos lo inteligentes que eran. Cuando llegaron a la edad adulta, en más de una ocasión hablamos de la presión que les había supuesto aquella etiqueta de «inteligentes». Afortunadamente, también los elogié por su esfuerzo, y hoy en día trabajan duro en sus respectivas tareas.

Eres tú quien debe analizar tus sentimientos acerca de la escolaridad y decidir si tu intervención ayudará o perjudicará a tus hijos. Si prestas más atención a las calificaciones que al aprendizaje, los estarás presionando, y es muy probable que acaben detestando las tareas escolares. Sentirse frustrado y mostrarse crítico no ayuda. Por otro lado, si se adopta un enfoque de *laissez faire*, dejando a los niños que sean exclusivamente ellos quienes evalúen lo que deben hacer, perderán el norte y se desorientarán. Si echar una mano a tu hijo con los deberes te resulta difícil, no tienes por qué cargar tú solo con esta responsabilidad. Esto es especialmente cierto cuando debe afrontar nuevos y desafiantes retos en el trabajo escolar. Para ello existen centros de aprendizaje y tutores capaces de diagnosticar el tipo de ayuda que necesita el niño.

En su libro *Mentes diferentes, aprendizajes diferentes*, el doctor Mel Levine, experto en aprendizaje, habla de las diferentes formas en las que los niños necesitan ayuda en sus tareas escolares. Un chico que parece perezoso, a menudo tiene problemas a la hora de generar y mantener su *output* mental. En lugar de decirle que trabaje más, necesita apoyo y sugerencias prácticas para controlar su energía mental. La base de la ayuda a los niños reside en nuestra actitud. Debemos comprender que cada mente aprende de un modo específico y se integra también de una forma única en los puntos fuertes y retos individuales. Si lo haces así, descubrirás formas concretas de ayudar a tus hijos.

Piensa en algunas técnicas o habilidades que te hayan costado mucho aprender. ¿Qué te motivó a seguir intentándolo? ¿De qué forma te ayudó tu padre o tu madre, o cualquier otro adulto, en el proceso de aprendizaje?

CAPÍTULO 2

OPTAR
POR EL OPTIMISMO

De hora en hora

... Hoy me limitaré a ser feliz. No me regocijaré en pensamientos que me depriman...

PASAJE DEL CREDO ALANON ORIGINAL

Cenando un día con una pareja y sus hijos, mi marido y yo advertimos el cambio extraordinario que se iba produciendo en la actitud de los padres a medida que avanzaba la velada. Después de una media hora de llanto del pequeñín, de dieciséis meses, de ponerse de pie constantemente en la trona y de que su hija de dos años pidiera incansablemente salir fuera, el desánimo y el abatimiento se reflejaban en los ojos de mamá y papá. Habían acudido a la cita con mucha ilusión, pero ahora se culpaban del comportamiento de los niños, anunciando incluso que probablemente nunca más podrían disfrutar de una cena relajada durante varios años.

Estoy muy familiarizada con este tipo de ideas; es lo que se conoce como «concretización de las proyecciones de una experiencia negativa en el tiempo». Personalmente, me bastó un día en que mis hijos se peleaban y discutían sin cesar para autoconvencerme de que iba a pasarme el resto de mi vida mediando en disputas, y cuando a mi hija se le reproducía la dichosa otitis, daba por hecho que pasaría todo el invierno apresurándome a la consulta del doctor y me echaba la culpa a mí misma de las continuas infecciones.

La concretización es el resultado del pesimismo, la tendencia a ver el vaso medio vacío en lugar de medio lleno. El pesimismo asoma cuando nos sentimos impotentes de controlar una situación que se nos escapa de las manos. Muy pronto estamos en un país de fantasía en el que prevalecen los apuros y dificultades. ¿La solución? Una actitud optimista es el antídoto de toda impotencia. Esto es así porque la forma en la que explicamos una situación compleja puede sumirnos en la depresión o fortalecer nuestra capacidad de resistencia.

El doctor Martin Seligman afirma en su libro *Learned Optimism* que cambiar la explicación de un evento puede elevar nuestro estado de ánimo y ayudarnos a afrontar el futuro con sentimientos de esperanza y competencia. «El arte de la esperanza consiste en descubrir las causas temporales y específicas del infortunio: las causas temporales limitan la sensación de impotencia en el tiempo, y las específicas limitan nuestra impotencia a la situación original.» Como padres, esto es algo que debemos aprender cuanto antes: cómo pensar en las causas temporales y específicas de una situación.

Para explicar aquella desastrosa cena de un modo optimista, por ejemplo, podría destacar que el restaurante estaba muy oscuro y atestado de gente, y que los camareros no trataban a las familias con la necesaria complicidad y tolerancia. Incomprensiblemente, los niños reaccionaron al ruido, la penumbra y la larga espera de la comida. Sus padres no tenían ninguna culpa; se mostraban pacientes e inagotablemente creativos. Es más, incluso me atrevería a decir que aquella hora de estrés no fue sino un suceso insignificante en la gran panorámica, del cual, por si fuera poco, los padres pudieron aprender nuevas formas de conseguir que las cenas resultaran más agradables en futuras ocasiones.

La vez siguiente buscamos un restaurante con un gran patio o jardín, donde las mesas estaban separadas y había poco ruido. Los niños comieron tranquilamente y todos disfrutamos de un rato relajado y feliz juntos. Fue estupendo. ¿Quién sabe si mis suposiciones eran correctas en cuanto al cambio en la atmósfera se refiere? Lo cierto es que echar la culpa de una velada ingrata al entorno ayuda a sentirse menos impotente y proporciona una profunda sensación de alivio. Cuando la explicación gira en torno a una situación temporal y específica, una hora es sólo eso, una hora, sin implicaciones de futuro.

Se puede soportar casi todo durante una hora, y la idea de que sólo tenemos que ejercer la paternidad durante períodos de una hora te hace sentir mucho mejor. Obviarás los contratiempos, te aferrarás al optimismo y enseñarás perspectivas positivas a tus hijos. Tenemos la responsabilidad de demostrarles que la vida es una fuente inagotable de esperanza y que creemos en nuestra capacidad para sortear los obstáculos, incluso cuando nos fallen las fuerzas. Los niños captan nuestros pensamientos positivos, sobre todo cuando somos conscientes de lo importante que es para nosotros creer en ellos y en nosotros mismos.

Analiza tus actitudes cuando te sientes frustrado por el comportamiento de tu hijo. ¿Limitas los problemas al momento o te imaginas enfrentándote a ellos reiteradamente en el futuro?

Los niños reflejan
los pensamientos positivos

La vida refleja todos mis pensamientos. Si son positivos,
la vida sólo me ofrece buenas experiencias. Si le digo «sí»
a la vida, la vida me dice «sí».

LOUISE HAY

Cuando habían agotado sus fuerzas ante una situación imposible
con alguno de sus hijos, Paula y su marido Dave solían jugar a
un juego muy especial. Por turnos, enumeraban cualidades positivas del niño. «Toca el piano maravillosamente bien.» «Le encantan las reuniones familiares.» «Es tan imaginativo cuando juega...» Al final se echaban a reír al comprobar que todos aquellos
comentarios no guardaban la menor relación con el reciente
comportamiento. Buscar cosas optimistas que decir era un ejercicio que contribuía a restaurar una imagen positiva de sus hijos.

Cuando un niño se porta mal, nuestra sociedad nos urge a
preocuparnos para averiguar si el comportamiento en cuestión
forma parte de un problema más grave: un trastorno psicológico, una minusvalía, etc., lo cual, en ocasiones, puede incluso
crear dudas en el propio niño. Dado que los niños absorben
como una esponja los pensamientos de sus padres, Paula y Dave
utilizaban el juego para librarse de sus perspectivas negativas y
empezar desde cero.

Cuando los padres se sienten frustrados a causa de la conducta de su hijo, a menudo les pido que reflexionen un poco y
que piensen por un momento lo que ocurriría si su pareja o el
mejor amigo pensara en ellos como un «problema». Quien más
quien menos entiende perfectamente cómo se sentiría.

En su libro *Tú «sí» puedes ser feliz: cinco principios que tu terapeuta nunca te reveló*, el doctor Richard Carlson asegura que los problemas se pueden solucionar productivamente dejándolos a un lado, sin rumiarlos constantemente. Describe el «efecto bola de nieve», según el cual percibimos algo como un problema, y nuestra atención exclusiva hacia el mismo hace que crezca en nuestra mente y acabe afectando a cuantos nos rodean. El doctor Carlson señala que no pensar en los problemas de los demás mejora automáticamente las relaciones de pareja, sobre todo en la matrimonial. Según dice, muchos de sus clientes han perfeccionado «el arte del mal matrimonio en su fuero interno. Han insistido una y mil veces en las mismas cosas en un intento de cambiar las actitudes de su pareja. En estos casos hay que "olvidarse" de los problemas y aumentar el estado de sentimiento positivo en uno mismo».

La otra cara de reconocer que los sentimientos negativos perjudican una relación es tomar conciencia de lo beneficiosos que son los pensamientos positivos. Con los años he observado que una de las mejores cosas que puedo hacer en relación con mis preocupaciones con los hijos es concentrarme en sus cualidades, lo cual no significa olvidar de una vez por siempre la conducta problemática. Sin embargo, procuro incluir en mi perspectiva todas aquellas veces en que el problema no se produce y prestar atención a otras facetas de la personalidad del niño. Por nada del mundo querría que él mismo se sintiera como un problema. Saber que los niños reaccionan a mis pensamientos me permite solapar el efecto rumiante.

Un día me estaba preguntando por qué mi hijito de cuatro años tenía el hábito de chillar cuando quería algo en lugar de pedírselo al profesor. Hablé con ellos sobre diferentes formas de responder a una necesidad. Un par de días más tarde, vino y se sentó en mi regazo. Una sensación de profunda calidez surgió entre nosotros. Así estuvimos durante cuarenta y cinco minutos, uno más, uno menos. Empecé a fijarme en lo dulce y cariñoso que era. ¡Qué sonrisa más maravillosa! Mientras iba pensando aquellas cosas, el niño me miraba y sonreía. Comprendí que estaba absorbiendo mis pensamientos felices. Cuando los profesores entablaron una sincera amistad con él, los chillidos remitieron. No desaparecieron por completo, pero poco a poco fue aprendiendo que podía hablar y expresarse.

Los niños no son conscientes de sus cualidades especiales; ni siquiera conocen los términos con los que identificarlas. Si les demuestras que has reparado en ellas y respondes favorablemente a los rasgos de su personalidad, les estarás enseñando a descubrirlos.

No hace mucho, una maestra me comentó que a menudo les decía a los niños hasta qué punto le satisfacían sus cualidades positivas. «Fue estupendo cuando el otro día te insultaron y no respondiste con otro insulto. Qué orgullosa estoy de ti.»

Los puntos fuertes de los niños afectarán a los demás durante toda su vida, y son los padres quienes deben estar atentos cuando su hijo se esfuerza e insiste una y otra vez hasta superar una situación difícil o evita tomar una decisión poco afortunada. Si les enseñas a comprender sus cualidades, sus puntos fuertes, afrontarán la vida con confianza y seguridad en sí mismos.

Reenfocar las áreas que consideramos negativas en tu hijo te puede ayudar a cambiar tu perspectiva.

Rodea con un círculo los adjetivos que lo describen:

Tímido	De precalentamiento lento
Timorato	Prevenido
Bravucón	Se conoce bien a sí mismo, le gusta mandar
Obstinado	Resuelto, perseverante
Exige atención	Capaz de comunicar sus necesidades
Poco independiente	Le gusta relacionarse
Travieso	Espontáneo
Rígido	Elevado sentido del orden
Egoísta	Valora sus pertenencias
Chillón	Expresivo

El mundo necesita
los dones de tus hijos

> La verdadera educación consiste en sacar lo mejor de ti
> mismo.
>
> GANDHI

Una de las voces más autorizadas en el mundo angloparlante pertenece al actor James Earl Jones, famoso por sus múltiples apariciones cinematográficas y como doblador de personajes tales como Darth Vader en *La guerra de las galaxias*, y el rey Mufasa en *El rey león*. Jones está considerado como uno de los actores más grandes del siglo XX.

Desde los seis años hasta los quince, James fue prácticamente mudo. Nacido en Mississippi, se crió con sus abuelos tras haber sido abandonado por su padre y su madre poco después del alumbramiento. A causa de la ansiedad derivada del traslado de su familia a Michigan, empezó a tartamudear. Aunque sus abuelos nunca lo reprobaron por el hecho de no hablar, lo cierto es que su abuela se lamentaba de no poder oír la voz de James, que desde siempre le había parecido maravillosa.

En la escuela, los profesores aceptaron sus limitaciones autoimpuestas, permitiéndole comunicarse y hacer los exámenes por escrito. Su talento potencial en la interpretación se podría haber perdido irremisiblemente de no ser por la mediación de su profesor de inglés de décimo grado, Donald E. Crouch, que lo introdujo en la literatura. Shakespeare, Emerson, Longfellow... Poco después, James compuso un poema basado en la cadencia y el ritmo de *Hiawatha*, de Longfellow. Versaba sobre la uva. Fascinado por la idea de que a James le gustara la poesía, el Sr.

Crouch le dijo que la única forma de demostrar que el poema sobre la uva lo había escrito él, era leerlo delante de la clase. Fue una sugerencia muy sutil. No lo presionó ni le conminó a leerlo. Se mostró extremadamente íntimo y comprensivo con él, destacando cuán doloroso debía de ser para él no hablar y que en realidad no tenía por qué hacerlo. Sin embargo, vislumbró en el amor que James sentía por las palabras uno de sus puntos fuertes, y apeló a esa pasión para ayudarlo a superar su debilidad.

James comprendió que un poeta debería leer siempre en voz alta lo que había escrito. Finalmente aceptó. El día en que se puso en pie delante de la clase para recitar su poema, el nerviosismo se convirtió en espasmos, y como recuerda, tuvo que arrancar las palabras «desde lo más profundo de su alma». Todos, incluyendo a James y el Sr. Crouch, se asombraron cuando leyó el poema sin tartamudear una sola vez. «En realidad, me retó a hablar», dice Jones.

Durante el proceso, ambos descubrieron que James, al igual que muchos niños tartamudos, era capaz de leer perfectamente un texto escrito. «¡Ajajá», exclamó el profesor. «Ahora lo aprovecharemos para recuperar tu capacidad de habla.» Bajo la tutela del Sr. Crouch, James llegó a ser el campeón de deletreo de vocablos de la escuela y fue elegido para pronunciar el discurso de despedida el día de la graduación de su clase. Así fue cómo el mundo empezó a beneficiarse del talento de James Earl Jones.

¡Menudo privilegio poder ser la persona en la vida de un chico que ve más allá de las debilidades para distinguir los dones que se convertirán en puertas abiertas hacia un nuevo desarrollo! Esto no significa ignorar áreas en las que tu hijo necesita ayuda. Se trata de hacer un hincapié muy especial en sus habilidades e intereses naturales. Si nadie se fija en lo que les gusta, es posible que los niños nunca consigan conectar con sus pasiones y trabajen para ensancharlas. Recuerda siempre que los puntos fuertes de los hijos son muchísimo más importantes que sus debilidades.

En quinto y sexto grado, tuve uno de esos profesores que cambian la vida de un niño: Anne Candia. Consideraba a cada alumno como poseedor de un don único. Me animaba a escribir, y aunque era extremadamente tímida, llegó a gustarme mucho leer en voz alta mis escritos en clase. A otros los apoyaba en el canto o el deporte. Su fascinación por lo que hacíamos bien nos ayudaba a no pensar en lo que éramos incapaces de hacer. Era como si nuestra profesora estuviera convencida del valor que tenían las cualidades que podíamos aportar al mundo. Confiaba en nuestro futuro y hacía todo cuanto estaba en sus manos para ayudarnos a confiar en nosotros mismos.

¿Recuerdas un padre o profesor que creía en ti incluso cuando fracasabas o te resistías a creer en tus propias posibilidades? ¿Qué palabras utilizaba para describirte?

Miedo no, confianza

Haz todo cuanto puedas. No te preocupes. Sé feliz.

MEHER BABA

La llamada llegó entrada ya la noche. «No te preocupes», dijo mi hija de veintiséis años desde el otro extremo del hilo telefónico. Mi corazón latía con fuerza, pero no respondí. «Sólo te diré cómo están aquí las cosas si prometes no preocuparte.»

«¿Tengo alternativa?», pensé. Mi hija estaba a 16.000 km de casa, estudiando en Rusia, y no me contaría nada a menos que permaneciera impasible.

«Está bien cariño», dije con tranquilidad. «Quiero que me lo cuentes. Me preguntaba por qué no habíamos sabido nada de ti?»

«Tal vez no lo hayan publicado aún en los periódicos de Estados Unidos, pero la ciudad de Moscú está en crisis», dijo con rapidez, como si temiera tener que colgar en cualquier momento. «¿Has oído hablar de la crisis bancaria?» Le respondí que sí. «Pues bien, es mucho peor de lo que podrían decir los medios de comunicación americanos. Reina el pánico. No puedes sacar dólares del banco, de manera que estoy sin dinero. No sé qué puedo hacer.»

«¡Vuelve a casa!», deseaba gritar. Pero temía que aquello pudiera revelar mi estado psicológico de extremada ansiedad. Respiré profundamente y le pregunté: «¿En qué has pensado?».

En aquella situación, pretendía infundirle fuerza demostrándole mi fe en sus decisiones en lugar de preocuparla con mis cavilaciones. Por otro lado, podría colgar y echarse a llorar. Para mantener la calma, empecé a concentrarme en las mil y una formas en las que mi hija hacía gala de una extraordinaria competencia. Es responsable, me decía a mí misma, e increíblemente resuelta. Es fuerte.

Aprendí esta técnica de concentración en las cualidades cuando mi hija tenía tres años. En las primeras semanas de su etapa preescolar, solía llorar, gritar y aferrarse a mis piernas como un cangrejo. La maestra me dijo que si quería ayudarla, no me preocupara. Me preguntaba si se habría dado cuenta de que era una sufridora empedernida o lo decía a todos los padres. Siempre pensé que preocuparse era una forma de proteger a tus hijos, pero el enfoque de la maestra me permitió vislumbrar otras posibilidades.

Empecé a imaginarme la preocupación como una especie de electricidad estática que los niños podían captar. De manera que cuando me marchaba a casa, trataba de imaginar a mi hija pasándoselo muy bien. «Le encantan los otros niños», me decía. «Quiere aprender.» «Es muy decidida.» Y cuál fue mi asombro al comprobar que cuanto mayor era mi atención en su capacidad de superación en lugar de las lágrimas, las dos nos sentíamos mejor. Pensar en sus habilidades naturales para afrontar situaciones difíciles, impulsó las mías.

La historia rusa tuvo un final feliz. Mi hija regresó a casa dichosa e incluso más segura de sí misma. Pero entre aquella llamada y el momento de descender del avión, me esforcé por mostrarme confiada, no temerosa.

Preocuparse no es un error, pero roba energía. Antes de que tus hijos sean adultos, tienes la oportunidad de evaluar los riesgos de los lugares a los que quieren ir y establecer límites. Pero muchos de los retos a los que se enfrentan son inesperados, y preocuparse no permite controlar su vida. Concéntrate en sus habilidades para enfrentarse a las crisis: te sentirás mejor y les ayudarás a confiar en sí mismos.

En una ocasión, una mujer que rondaría los treinta me hablaba de la falta de preocupación que había mostrado su padre y de lo mucho que aquello había contribuido a su desarrollo. «Papá nunca se preocupaba por nosotros», decía con orgullo. «No es que no tuviéramos dificultades o cometiéramos errores, sino que siempre confiaba en que seríamos capaces de hacer lo correcto.» Estaba convencida de que su fe incondicional en ella le hacía sentirse segura de sí misma y capaz de sortear los obstáculos en la vida.

El mundo actual anuncia una infinidad de temores y dudas para nuestros hijos, y una de las mejores cosas que podemos hacer es decir: «Preocuparte te robará la alegría de vivir. ¡Creo en ti y sé que puedes hacerlo!».

Imagina que te acabas de incorporar a un nuevo empleo o que viajas a otro país. ¿Qué te parecería que tu mejor amigo se preocupara y te llenara de un alud de consejos de cautela? ¿Cuál sería, por el contrario, tu reacción si ese amigo demostrara creer en tu capacidad para afrontar cualquier tipo de situación? Observa la reacción de tus hijos cuando infundes en ellos un temor ante un posible riesgo.

CAPÍTULO 3

CONCÉNTRATE
EN LOS SENTIMIENTOS

Felicidad

> Podemos fomentar la felicidad deliberadamente no dándola por sentada, sino regocijándonos en la dicha inocente de un niño [...]. Cuando se alimenta, la felicidad crece en los niños.
>
> DRA. VERENA KAST

Cuando mi nieto de un año se siente feliz, da palmaditas o me golpea suavemente en el brazo con las manos. A veces, simplemente ríe, echando atrás su cabecita y cerrando los ojos. Mientras lo observo –lo «devoro» con la mirada–, me siento como formando una sola cosa con él. A menudo, la causa de su alegría es evidente: la arena escurriéndosele entre los dedos, curioseando en el interior de una caja de avalorios o el ritmo de la música del equipo de audio. Pero también me he dado cuenta de que no necesita este tipo de entretenimiento para sentirse feliz. Es algo innato en él.

Mi deseo es que su capacidad de estar alegre aumente con el tiempo. Sin embargo, cuando observas crecer a los niños, muchos de ellos parecen perder esa capacidad. Trágico, ¿verdad? ¿Cuál es la fórmula mágica para conseguir que conserven este sentimiento jubiloso? Como maestra, he aprendido técnicas para ayudar a un niño cuando está enojado, triste o frustrado, pero catapultar su alegría es algo que nunca ha formado parte de mi formación pedagógica.

La doctora Verena Kast, una de las escasas psicólogas que estudian las emociones positivas, recomienda familiarizarse con la alegría evocando los recuerdos de felicidad de nuestra infancia. Según dice, si nos preguntamos qué nos deleitaba cuando éramos pequeños, podemos llegar a descubrir aquella felicidad que habita en nosotros en el momento presente. Este enfoque difiere completamente del énfasis que hace nuestra sociedad en el aprendizaje de las heridas o shocks en la más tierna edad. ¿Qué habría sido de nuestra infancia si quienes nos rodeaban se hubieran dedicado a hacernos más dichosos?

No recuerdo la alegría como un objetivo en la vida durante mi etapa de crecimiento. Cuando la gente me hablaba de mi potencial, lo hacían siempre en términos de atributos que me ayudarían a «triunfar» en el mundo. Para mí, los momentos de profunda felicidad eran secretos: encontrar un altramuz azul, un trébol de cuatro hojas o fresas salvajes de paseo por el bosque, intentar ganarle a mi padre en una carrera, chutar un balón y meterle un gol... Me pregunto si mis padres se daban cuenta de lo feliz que me hacían sentir aquellas experiencias.

Hoy veo innumerables padres que viven intensamente los momentos de gozo de sus hijos y que incluso los buscan con afán. En ocasiones, en nuestra escuela, los padres, aun inevitablemente ocupados, son capaces de dedicar el tiempo necesario a recorrer el largo sendero de nuestro jardín para apreciar un rosal o buscar ranas en el estanque. Han sido, en suma, capaces de prestar atención a la transformación que se produce cuando un niño observa algo que le interesa.

Sin embargo, a medida que los niños se hacen mayores, la sociedad también les enseña que la felicidad se consigue cuando se obtiene algo deseado, ya sea un juguete nuevo, un vestido o ganar un partido de baloncesto. Si los sentimientos positivos dependen de un logro, entonces la ley de los promedios dicta que serán felices por lo menos una parte del tiempo. Pero ¿satisface realmente este tipo de felicidad?

Muchos padres saben ayudar a sus hijos a encontrar la felicidad incluso en los momentos más difíciles de la vida. Cuando la familia de Sam, de cuatro años, se mudó, lo pasó fatal. Mostraba signos de estrés, y papá y mamá le ofrecieron todo su apoyo, aunque no sólo se concentraron en superar aquella dura situación, sino también en actividades que proporcionaban un estado de ánimo muy positivo. Sabían que a Sam le gustaba muchísimo contemplar las nubes. En una ocasión, mientras miraban por la ventana una formación nubosa, el niño dijo: «Mamá, algún día quiero crear un museo de nubes. Así todos cuantos quieran admirar las nubes más maravillosas del mundo podrán venir». Su madre quedó encantada por su desbocada fantasía, y juntos empezaron a tomar fotografías de nubes y a guardarlas en álbumes. Mamá le enseñó que la felicidad siempre te espera incluso en los momentos más difíciles. Basta abrirle las puertas.

La capacidad de acceder a un flujo positivo de emociones es un don que puede durar toda la vida. A pesar de todo, no hay que ignorar jamás los sentimientos de frustración del niño, tales como el miedo o el disgusto. Si aprendes a concentrarte en los sentimientos, ayudarás a tus hijos a empezar a comprender todas sus emociones y a canalizarlas con cuidado.

Recuerda qué decían los adultos durante tu niñez cuando te hablaban de la felicidad. ¿Como una emoción que había que reprimir? Imagina una situación de felicidad en tu infancia. ¿Cómo la expresaste? ¿Cómo la experimentas ahora? ¿Cómo reaccionas cuando tu hijo se siente eufórico?

No ignores sus miedos

Decirle a mi hijo de cuatro años que «los monstruos no eran reales» no daba resultado. Era incapaz de comprender la idea de la irrealidad. Comprendiendo perfectamente su miedo, le dije que de niño también yo me sentía igual y le di una botella con pulverizador para que los rociara por la noche. Le encantó.

TIM, PADRE DE DOS HIJOS

Durante un almuerzo, la perspectiva que tenía mi hija, entonces de cuatro años, acerca de preescolar dio un giro de 180°. Por la mañana, a Mari le gustaba la escuela, al igual que el año anterior, pero después de aquel almuerzo nunca más quiso volver. Una tarde llamé a su maestra para decirle que iría a buscarla con un poco de retraso, pues me había surgido un imprevisto. Pero lamentablemente, malinterpretó las palabras de la maestra como «Tu mamá no viene». Una palabra se apoderó inmediatamente de su mente: «Nunca». En aquel momento, la imagen de que no iba a volver quedó grabada indeleblemente en su cabecita. Se sintió traumatizada, y más tarde, de regreso a casa, éste fue el *leit motif* de la conversación.

Tengo que admitir que en el transcurso de los años siguientes, empecé a volverme loca. No importaba cuántas veces le explicara que había entendido mal a su maestra cuando le explicó que llegaría tarde; estaba atenazada por el miedo.

Como he podido comprobar muchas veces, el terror se propaga como un reguero de pólvora en la sensible mente de un niño. No vale explicación racional alguna. La terapeuta Cecilia Soares, de Walnut Creek, California, señala: «Es muy difícil para los niños razonar sobre sus miedos. Esto es lo que hace que la ansiedad sea más primitiva e intensa, Decir "no hay nada que temer" no conecta con sus sentimientos. Necesitan relajarse y serenarse. Quieren oír que estás ahí para que se sientan seguros».

Un asesor profesional y amigo mío me había aconsejado no sacar a Mari de la escuela por el mero hecho de que tuviera miedo, sino ayudarla a superarlo. De este modo sería capaz de aumentar la fe en su propia capacidad de vencer obstáculos. Tenerla en casa no haría sino incrementar su miedo a lo peligroso que es descubrir el mundo, porque mamá no estaría allí. Cuando animamos a nuestros hijos a encontrar formas de expresar sus temores y enfrentarse a ellos, les estamos ayudando a descubrir su valor y resistencia.

Yo misma pensé en la ansiedad que sentía de niña ante la posibilidad de que mamá no fuera a la escuela a buscarme. En lugar de decirle a Mari que no había nada que temer, recurrí a mis sentimientos, diciéndole que también yo, a veces, tenía miedo cuando era pequeña. Si mamá llegaba tarde, lloraba desconsoladamente. Pero con el tiempo comprendí que mi madre sí venía, un día tras otro. Le dije a mi hija que la quería y que siempre acudiría a mi cita con ella en la escuela. «¿Comprendes lo que te digo?», le pregunté. Mari dijo que sí, pero que seguía teniendo miedo. Entonces le sugerí que en la escuela, durante la mañana, se repitiera a sí misma «Mi mamá me quiere y siempre vendrá a por mí». Así lo hizo y dio resultado. Me sentí muy aliviada. Afirmaciones de este tipo no significan desdeñar un temor u ofrecer una explicación racional. Son palabras destinadas a programar el subconsciente y las emociones de una forma positiva. Poco a poco, el miedo de Mari fue desapareciendo, y cuando fue al jardín de infancia, volvía a mostrarse encantada. Más tarde, la psicóloga Wendy Ritchey y yo escribimos un libro titulado *I Think I Can, I Know I Can*, acerca de cómo fomentar el autohabla positiva en los niños.

Sintonizar con los miedos de nuestros hijos recordando el tiempo en que también nosotros experimentábamos este sentimiento es esencial. Decirles que ahora, de adultos, también tenemos miedos, podría hacerles sentir inseguros, pero evocar el miedo de la infancia a las mismas cosas que ahora temen ellos, hace que se sientan más seguros: pueden confiarnos sus ansiedades; los escucharemos y ayudaremos a superarlas. Aun así, hay ocasiones en las que los niños no saben a ciencia cierta qué es lo que les preocupa y expresan su malestar de formas que no alcanzamos a comprender. Enfadarnos con ellos por el «mal comportamiento» genera conflictos innecesarios y discusiones que no llevan a nada. Dejemos a un lado las estructuras mentales acerca de cómo deberían comportarse cuando el miedo persiste y entremos en nuestro propio ámbito de los sentimientos para empezar a comprender.

Haz una lista de los miedos que tenías de niño. ¿Cómo respondían los adultos? Si el miedo era persistente, ¿qué enfoque te hubiera ayudado a sentirte seguro?

En una ocasión me sentí igual

Lo que realmente me ayudó fue ponerse en el lugar de mis hijos. Me decía a mí misma: «Imaginemos que estaba cansada, disgustada o simplemente aburrida. Y supongamos que quería que todos los adultos importantes en mi vida supieran cómo me sentía».

ADELE FABER Y ELAINE MAZLISH

Sue y Luis no podían comprender el comportamiento de Jacob, su hijo de cuatro años. Recientemente incurría en reiterados berrinches sin razón aparente. Si su hermana gemela cantaba en el coche, se enojaba, y si no le gustaba un juguete, se echaba a llorar.

Los libros de autoayuda sobre cómo criar a los niños que leyeron recomendaban hacer caso omiso de las rabietas. Pero Sue y Luis descubrieron que cuanto más intentaban sintonizar con los estallidos de ira de Jacob, más frecuentes y correosos eran. ¿Era su forma de desafiarlos por estar haciendo algo mal? ¿Qué podían hacer para afrontar tan extraña conducta? Vinieron a verme.

Les pregunté si recientemente se había producido algún tipo de crisis en la familia. A menudo los niños expresan su tensión mediante un creciente malhumor o despertándose por la noche. Respondieron que nada había cambiado en casa. Me daba perfecta cuenta de que la lucha para comprender racionalmente a Jacob los estaba agotando.

Les pregunté si alguno de ellos recordaba alguna ocasión en la que fueron incapaces de reprimir sus emociones, ahora o en la infancia. Sue dijo sentirse así en los días de trabajo abrumador.

Le pregunté si le gustaría que Luis la ignorara en tales situaciones. «Me pondría furiosa», respondió empáticamente. «Me sentiría abandonada, como si no quisiera cuidarme.» Pensó unos instantes. «Lo que deseo es que Luis esté tranquilo. No me gustaría que se enojara conmigo.»

Luego, reflexionando sobre lo que acababa de decir, añadió: «No sé por qué me disgustan tanto los sentimientos de Jacob y me los tomo de una forma tan personal. Debe de sentirse muy mal al darse cuenta de que lo ignoramos». Mientras hablábamos, de pronto recordó que, en efecto, algo nuevo había acontecido en la familia. Su abuelo había enfermado y ella tenía que desplazarse con mucha frecuencia a la residencia para la tercera edad en la que vivía. «Jacob debe estar enfadado porque estoy fuera demasiado tiempo y porque estoy tan preocupada y nerviosa cuando estoy en casa. No sabe cómo decírmelo.»

Me pareció que la consciencia de Sue de que no quería que Luis la ignorara o se «frustrara a causa de su frustración» merecía un análisis más profundo. Cuando nos sentimos abrumados por los sentimientos, no queremos que los demás se molesten o indignen. Necesitamos su cálido apoyo. «Ignorar» no significa pretender que la persona no está allí, sino que guarda una mayor relación con no disgustarse o ceder a las demandas. La necesidad de solucionar a toda costa una rabieta genera más energía negativa si cabe.

Cuando estamos nerviosos por el comportamiento de nuestro hijo, también es fácil imaginar explicaciones negativas que nada tienen que ver con la realidad. Cuando nos cuesta consolar a nuestro bebé, podemos acabar pensando que le disgustamos o que somos unos perfectos inútiles. Cuando el niño llora para salirse con la suya, tal vez pensemos que estamos criando un «monstruo». Recordar los momentos en los que nos hemos sentido cansados o disgustados ante la realidad de no poder conseguir algo que deseamos nos ayudará a confiar más en nosotros mismos y a vislumbrar una panorámica más amplia.

Parece simple, pero a veces incluso el más sencillo de los enfoques demuestra ser el más complejo. Lo que realmente importa a estas edades es tener a alguien cerca que se dé cuenta de lo que nos está pasando: «Veo que estás triste (o enfadado, etc.)», sin realizar juicios de valor.

Dos semanas más tarde, Sue me dijo que había hablado con Jacob acerca de sus frecuentes salidas de casa. Además, ahora están pasando más tiempo juntos. «Me siento mucho más aliviada», me dijo con una sonrisa. «Los berrinches han remitido.» Su menor preocupación también forma parte de la cura. Está mucho más tranquila.

Los vínculos emocionales con los hijos nos proporcionan una sensibilidad única para poder apoyarlos de un modo eficaz. Cuando estamos «conectados», nuestra sola presencia los hace sentir seguros. Para ello, nada mejor que recordar la fuerza de su amor y esforzarnos para proteger esta conexión.

Recuerda alguna ocasión, de niño, en la que un adulto te ayudó a superar un disgusto. ¿Qué fue lo que, desde su punto de vista, te permitió recuperar tu sentido del equilibrio?

Mis hijos me quieren tanto...

> Mi madre vivía para mí. Estaba tan y tan segura de mí...
> Por nada del mundo la desengañaría. El recuerdo de mi
> madre siempre será una bendición.
>
> THOMAS A. EDISON

Una tarde, con ocasión de la presentación del libro que acababa de publicar Hillary Clinton, titulado *It Takes a Village*, fui a una conferencia que daba sobre los niños. Conocía bien su mundo y se mostró inspirada y profundamente preocupada por su presente y su futuro. Pero la historia que nunca olvidaré fue la que contó su propia hija, Chelsea. Una vez, cuando tenía ocho años, la familia fue a la iglesia el Día de la Madre en Little Rock, Arkansas. El ministro preguntó a cada niño en la congregación: «Si pudieras darle algo a tu madre, ¿qué sería?». Un pequeño dijo un precioso vestido violeta, y otro joyas. Cuando le llegó el turno a Chelsea, dijo que le gustaría regalarle un seguro de vida. Hillary sonrió cariñosamente a su hija, pero se preguntaba qué era realmente lo que bullía en la mente de la niña. De regreso a casa, le preguntó cuál era la razón de lo que había dicho. «Porque te quiero tanto, que no quiero que mueras nunca», respondió Chelsea. Hillary quedó asombrada y dichosa a un tiempo. No olvidaría jamás aquel Día de la Madre. Más tarde nos dijo: «No podemos imaginar cuánto nos aman nuestros hijos y lo esenciales que somos en su vida, pero debemos intentarlo».

Esta historia me recuerda lo maravilloso que es que los padres no subestimen los sentimientos de apego que muestran sus hijos hacia ellos. John Bowlby fue uno de los primeros psicólogos en afirmar que los vínculos indestructibles proporcionan una «base segura» a los niños. Una madre sale de casa para ir al trabajo por la mañana y deja a su pequeño al cuidado de otra persona. Pero tal vez le preocupe la posibilidad de que por la tarde, al regresar, no salga corriendo a su encuentro y vuele en sus brazos. La separación y la reunión constituyen un verdadero problema y despiertan emociones complejas. Conocí a un niño de ocho años que mojaba los pantalones cuando su madre no volvía en toda la noche por motivos de trabajo. Una buena parte de nuestro conocimiento de hasta qué punto nos aman nuestros hijos reside en prestar atención a este proceso de separación y hacer cuanto esté en nuestras manos para que todo marche bien.

Al igual que Hillary Clinton, muchos padres tienen empleos que les exigen estar fuera de casa durante días. Probablemente, aquellos pequeños también desearían regalarles un seguro de vida. La sola idea de que papá o mamá podría no regresar nunca más puede ser omnipresente en su mente aunque no lo exterioricen. Las madres y padres que son conscientes de los sentimientos de apego de sus hijos, no los ignoran diciendo cosas tales como «Ni siquiera notarás mi ausencia». No sé si Hillary Clinton ayudó a Chelsea a superar aquella dura situación, pero la verdad es que tengo el extraordinario privilegio de conocer a muchos padres que afrontan las separaciones con una extremada sensibilidad.

Mi amiga Mary Jane diseñó un «tablón de mamá» para su hija, con un cuadradito para cada día que estaría de viaje. Don, su padre, ayudaba cada día a Ana a colorear el cuadrado correspondiente, y juntos contaban los días que faltaban para su vuelta. En una ocasión, Mary Jane fue a buscar a su hija a la escuela tras haber regresado de un viaje de negocios. Aquel día, Ana le dio la espalda y ni siquiera la miró. Mary Jane comentó que su hija estaba disgustada. Le dije lo maravilloso que era en mi opinión que supiera que el enfado de Ana formaba parte de su amor hacia ella. «Pues sí, se enfada y con razón», siguió diciendo Mary Jane. «La persona más importante en su mundo la ha abandonado. Adora a papá, pero es muy difícil para ella que yo me vaya. Soy muy consciente de ello.» Esto hace que su vuelta sea siempre tan especial.

Un día sucedió algo que me obligó a detenerme. Vi a una madre arrodillada, a pesar de llevar un vestido caro, en el vestíbulo de la escuela de su hijo. El niño venía corriendo desde el otro extremo. Ella abrió los brazos y su voz parecía como si hiciera un mes que no lo había visto, cuando en realidad lo había acompañado aquella misma mañana. «¡Cuánto te he echado de menos!», dijo, abrazándolo. Sus palabras y su lenguaje corporal estaban demostrando al pequeño que comprendía que estar solo lejos de casa durante todo el día podía parecerle un mes. Su enorme y cariñosa sonrisa me acompañó felizmente durante toda la jornada.

¿En qué situaciones te sentías vinculado a tus padres? ¿Había cosas que hacían o no hacían que despertaban en ti un sentimiento de impotencia o inseguridad?

SEGUNDA PARTE

LO MEJOR QUE HACEN LOS PADRES

El siguiente paso consistirá en analizar las cosas útiles que realmente hacen los padres. Sin duda alguna, los padres han hecho notables progresos en las últimas generaciones. Las parejas de hoy están bombardeadas con más información acerca de psicología y desarrollo infantiles de lo que probablemente son capaces de procesar. Aun así, hacen todo cuanto está en sus manos para integrarla e interiorizarla. ¿Por qué ignoramos cuán a menudo los padres modernos consiguen alcanzar sus objetivos de paternidad hasta el límite de su capacidad y conocimiento? Lo cierto es que sin documentar las incontables cosas que hacen bien, carecemos de un modelo de la buena paternidad.

Las historias en este capítulo no reflejan la vida de padres «sabelotodo» que actúan con una plena conciencia de su proceder en todo momento, sino que se basan en relatos de personas reales, incluida yo, que cometen errores, reflexionan, aprenden de las observaciones y discusiones, y leen, asisten a clases, recuerdan lo que debe ser ante todo un niño y se dejan llevar por la intuición.

A medida que vayas leyendo estas historias, espero que concibas nuevas ideas acerca de las cosas que saben hacer bien los padres. También espero que no caigas en la tentación de compararte con estas personas, exceptuando la identificación con sus sentimientos y su voluntad de experimentar y aprender. Cada cual tiene que hacer su camino en cuanto a los hijos se refiere, y las cosas que hacemos a diario contribuyen a forjar nuestra sabiduría.

Como dice el antiguo proverbio chino atribuido a Lao-Tzu: «Un viaje de miles de kilómetros empieza con un solo paso». Cada paso que damos abre nuevas posibilidades al conocimiento y al aprendizaje.

CAPÍTULO 4

SACA DE ELLOS
LO MEJOR DE SÍ MISMOS

Enséñales autosuficiencia

Dale un pez a un hombre y lo habrás alimentado un día.
Enséñale a pescar y lo alimentarás toda la vida.

PROVERBIO CHINO

Hace años, una periodista vino a entrevistarme desde Florida. Había leído en algún lugar que mi hija de doce años hacía la colada de su ropa, y se preguntaba cómo era posible que una niña tan pequeña pudiera ingeniárselas con tal responsabilidad. Me sentí algo incómoda. En realidad, llevaba lavando su ropa desde hacía ya varios años (mi hijo también). Le aseguré que lo hacía a las mil maravillas. Luego entró a fondo en la cuestión: «¿No es tarea de la madre hacer la colada?», preguntó en un tono amable pero desconcertado. «Tengo una hija, y lavarle la ropa es una forma de alimentarla.» ¡Glup!

Reflexionando sobre el particular, me di cuenta de que la periodista y yo considerábamos el amor y la alimentación de los sentimientos de un modo dispar. Hacer la colada a alguien es alimentar sus vínculos afectivos hacia ti, a menos que lo sigas haciendo cuando ya es capaz de hacerlo por sí solo. ¿Tal es la «indefensión» de un hijo que incluso debería ser incapaz de lavarse sus camisetas y sus pantalones vaqueros? Una de las formas con las que alimentaba a mis hijos era hacerlos sentirse capaces de cuidar de sí mismos. Quería que se sintieran seguros, confiados y autosuficientes cuando abandonaran el hogar familiar. En la universidad, mis hijos conocieron a compañeros que jamás habían lavado la ropa o preparado la comida. El aprendizaje tardío es causa de problemas.

Un sensato profesor de escuela me dijo una vez que el secreto de la motivación de los niños para que hagan tareas prácticas es enseñarles a hacerlas mientras la técnica es difícil para ellos. Un niño de cuatro años implora a su madre que le deje barrer el suelo y limpiar la mesa. Una niña de ocho se muestra interesada por el funcionamiento de la lavadora. Así pues, intenté enseñar a mis hijos aquellas tareas que deseaban aprender.

Me sentía motivada por el hecho de que, como adulto joven, no había podido independizarme dominando las habilidades suficientes para enfrentarme a innumerables responsabilidades cotidianas. Y a fe que me hacían falta. Mi madre me demostraba su amor haciendo las cosas por mí. Tengo una amiga cuya madre la seguía bañando siendo ya una adolescente y que también tuvo una dura transición al mundo adulto.

Casi todos los cuentos de hadas giran en torno a una cuestión simbólica: «¿Seré lo bastante autosuficiente como para salir al mundo?». En su fuero profundo, los niños valoran todo cuanto aprenden acerca del cuidado personal, pues el núcleo fundamental de la autosuficiencia reside precisamente en ser capaces de hacer las cosas por sí mismos. Ésta es la razón por la que les fascina *Pippi Calzaslargas*, la historia de una niña pequeña que vive sola y que sabe hacerlo todo.

En los círculos educativos circula una famosa historia que ilustra la gratitud de los niños por haber aprendido autosuficiencia. Cuando la doctora Maria Montessori, la prestigiosa pedagoga italiana, abrió su escuela para los niños de la vecindad, se asombraba constantemente por su profundo deseo de aprender habilidades prácticas. Dado que quien más quien menos sorbía los mocos, algo muy habitual entre los pequeñines, decidió enseñarles cómo había que sonarse con la máxima discreción. Permanecieron en silencio mientras observaban, y luego la sorprendieron con un caluroso aplauso. Les habían ridiculizado en repetidas ocasiones por sorberse los mocos, pero nunca antes les había demostrado cómo había que limpiarse.

Me apresuré a poner «sorber los mocos» en el primer lugar de mi lista de habilidades que los niños deben aprender en la vida. ¿Qué hay de tu lista? Teniendo en cuenta que cada etapa da la sensación de que durará eternamente, de vez en cuando es útil cambiar la perspectiva y contemplar a tu hijo saliendo por la puerta a los diecisiete años con una maleta para ir a la universidad o cualquier otra aventura. ¿Qué quieres que sepa? ¿Qué habilidades o técnicas prácticas debería tener? Ten presente esta imagen y planifica cómo deberías enseñarle autosuficiencia con la suficiente antelación.

Cierto es que no podemos enseñárselo todo a nuestros hijos antes de que abandonen el hogar, pero lo que sí se puede hacer es adiestrarlos en el aprendizaje de las habilidades prácticas que necesitarán en la vida para sentirse seguros de sí mismos. Aprende a demostrarles cuánto valoras sus esfuerzos para intentar que todo marche sobre ruedas.

Haz una lista de todas las cosas que hubieras deseado saber hacer antes de abandonar el hogar paterno.

¿Qué quieres que sepa tu hijo a los dieciocho años? ¿Cómo puedes poner manos a la obra en este sentido para alcanzar tales objetivos?

Confiar en las posibilidades

*Es curiosa la vida. Si no te conformas con cualquier cosa
y quieres lo mejor, a menudo lo consigues.*

SOMERSET MAUGHAM

Lynn trabajaba como bailarina exótica cuando conoció a las hijas de sus vecinos. Le parecieron monas, aunque absolutamente descontroladas. La mayor acababa de decirle a su profesor de preescolar «¡Te jo...!¡Déjame en paz!». Las niñas vivían con su padre, y con frecuencia las oía discutir a brazo partido y obsequiarse con una larga lista de improperios. Su padre había recibido la custodia única de las pequeñas, y Lynn sentía lástima por ellas porque parecían vivir en un mundo sin esperanzas o estructura. Sabía lo aterrador que era para un niño tener que estar poniendo a prueba constantemente a un adulto para saber dónde están los límites. Un buen día las niñas contrajeron la varicela, y su padre no tenía a nadie que pudiera cuidarlas mientras estaba en el trabajo. «Yo trabajaba por la noche, así que ¿por qué no encargarme de ellas durante el día?» Lynn lo consideraba como una oportunidad para imponer el orden y la felicidad en medio de tanto caos.

Y no tardó en conseguir que las niñas la ayudaran en las tareas domésticas, siguiendo siempre unas reglas incontestables: «tiempo muerto» (diez minutos en el dormitorio) cuando no prestaban atención o se pelearan. «Nadie esperaba demasiado de aquellas niñas ni nadie les había reprendido cuando insultaban o se mostraban irrespetuosas con los adultos. Cambié radicalmente aquella situación considerándolas como ayudantes capacitadas.» Las pequeñas valoraban la sutil, pero firme, estructura impuesta por Lynn. Su padre estaba perplejo cuando llegaba a casa por la tarde y encontraba el apartamento inmaculado, y que sus hijas se habían dormido mientras la vecina les contaba un cuento.

Con el tiempo, Lynn se enamoró de aquel hombre y se casaron. Dejó su trabajo de bailarina y se dedicó incluso con más fuerza a crear unos sólidos cimientos para las niñas. La pareja tuvo otro hijo, y sin darse cuenta, ¡Lynn era madre de tres! ¿Cómo asumir aquella nueva situación? El secreto reside en confiar en que todo el mundo echará una mano. Ha creado una estructura gracias a la cual el hogar familiar funciona con la cooperación de todos sus miembros, de manera que no todo el trabajo recae sobre ella. Las dos niñas mayores ya están en primaria y secundaria respectivamente, y Lynn ha diseñado un tablón en el que figuran las diferentes tareas domésticas que debe hacer cada cual antes y después de la escuela, tales como poner la ropa del día anterior en la cesta de la ropa sucia, ducharse y prepararse el almuerzo y la merienda. Asimismo, cada una de ellas realiza tareas que contribuyen a la buena marcha de la casa, como sacar la basura, poner la mesa y fregar los cacharros. La más pequeña está en preescolar; ayuda a poner y quitar la mesa, y en la cocina.

«En ocasiones las niñas me preguntan por qué tienen que hacer tareas domésticas cuando la mayoría de sus amigas no lo hacen. Les digo que no puedo hacerlo todo yo sola, so pena de volverme loca. Otras personas temerían pedir a sus hijos que los ayudaran por miedo a su resentimiento, pero por mi parte, me sentiría estar fracasando como madre si no lo hiciera así. Es difícil a veces mantener la constancia, pero sé que la regularidad les está proporcionando una estructura interior. Me gusta ver que son capaces. ¡Es extraordinario! Saben que pueden hacer cualquier cosa. Una de ellas, sin ir más lejos, acaba de organizar una fiesta sorpresa para una amiga.»

Asimismo, las tres tienen asignados determinados trabajos que valen créditos extra. Si los hacen, pueden elegir una «aventura» divertida para la familia, como ir a cenar a un restaurante.

Desde mi punto de vista, Lynn ha proporcionado un marco apropiado para el desarrollo de sus hijas. En un estudio sobre disciplina realizado en la década de 1960, la doctora Diana Baumrind, de U.C. Berkeley, concluyó que los niños cuyos padres confiaban ciegamente en sus posibilidades y les imponían límites firmes, crecían con un mayor grado de seguridad en sí mismos.

No hace falta ser un «monstruo» de la organización como Lynn para conseguir que un hijo se sienta competente. Un hogar estructurado es aquel en el que imperan límites indiscutibles, rutinas predecibles y el firme deseo de enseñar a participar y contribuir al bien común. Empieza con las cosas que quieren hacer por sí mismos, independientemente de cuán ineptos puedan parecer. En el deseo de «hacer» reside la clave del logro.

Desglosa las tareas domésticas en etapas que ayuden a los niños a aprenderlas más fácilmente.

¿Qué pasos hay que seguir para poner la mesa?

¿Y para doblar una toalla?

¿Por dónde hay que empezar a la hora de hacer una cama?

¿Cómo hay que barrer?

Aviva el fuego de su talento

La confianza de la gente crece a medida que intenta realizar tareas y consigue completarlas. El éxito desarrolla la seguridad en uno mismo; el fracaso la coarta [...] y los mensajes individuales que recibimos de los demás pueden influir poderosamente en su desarrollo.

FRANK PAJARES

Cuando quiero ilustrar cómo desarrolla un niño una actitud de «¡Puedo hacerlo!», siempre pienso en Fred, el padre de Johnny.

Cuando Johnny tenía ocho años, vio una producción escolar de *El violinista en el tejado*. Dado que estaba estudiando violín, le cautivó el hombre sentado en el tejado tocando aquel instrumento, y dijo a su padre que ojalá pudiera tener un tejado en el que tocar. Fred lo miró con seriedad y juntos decidieron construir un «tejado» con unas cuantas maderas. Pero ¿cómo hacer un tejado sin una casa? Fue así como también construyeron una torre de dos metros con una escalerilla que conducía hasta una terraza de contrachapado. A Johnny le fascinaba sentarse allí y tocar el violín. Con el tiempo, dejó los estudios de música, pero su confianza en su capacidad de lograr cuanto se propusiera le llevó a la Facultad de Medicina y a convertirse en doctor, un doctor que por cierto toca el violín de vez en cuando por puro placer.

El gran maestro sufí Inayat Khan escribió en una ocasión: «El logro es más valioso que lo que se ha conseguido. Por ejemplo, si una persona ha desliado un nudo en una cuerda, aparentemente no ha conseguido nada; ha dedicado el tiempo a una cosa insignificante. Pero aun así, la acción de completar es útil;

ha construido algo en su espíritu que le será de mucha ayuda cuando se proponga alcanzar grandes objetivos».

Inayat Khan asigna un significado muy especial a la acción de completar. Con todo, aun hoy a menudo desdeñamos la importancia que tiene para los niños terminar lo que han empezado. Un niño empieza a ensamblar las piezas de un puzle y lo deja a un lado cuando surgen las primeras dificultades. A medio poner la mesa, un pequeño contesta al teléfono y olvida lo que estaba haciendo. Una niña dice que quiere dibujar un unicornio, pero dos minutos más tarde arruga el papel porque su primer intento no le ha satisfecho. Tal vez Johnny hubiera preferido emplear el tiempo con otras cosas más divertidas mientras su padre iba y venía con el martillo y un puñado de clavos, pero le urgió a seguir trabajando hasta el final.

Autoeficacia significa tener confianza en el «poder de producir el efecto deseado», diferente de la autoestima o sentirse bien con uno mismo. Desarrollar el sentido de capacidad en los niños les conmina a evaluarse a sí mismos desde una perspectiva más positiva. Los adultos pueden fomentar sus logros ayudándolos a comprender el proceso completo hasta el desenlace. A veces se sienten frustrados cuando están construyendo una torre con bloques o dibujando porque carecen de la habilidad de conseguir que el producto externo coincida con la imagen interior del mismo. En tal caso, el adulto puede ayudar al niño a solucionar el problema analizando las formas posibles de alcanzar el resultado deseado. Hacerlo por él no desarrolla el espíritu de logro, pero le ayuda a contemplar la tarea desde un plano más amplio y a vislumbrar el final. Será difícil cuando el pequeño llora y quiere darse por vencido, pero si consideramos su frustración como un factor positivo y decimos «Quieres hacerlo bien, ¿verdad?», será más capaz de intentar completar éste y otros muchos proyectos.

La hija de Millie acababa de empezar secundaria, un período en el que con frecuencia los intereses se dispersan en múltiples direcciones. «Cuando la veo frustrada porque no consigue realizar un proyecto, le ofrezco mi ayuda para terminarlo. De niña nunca tuve la sensación de que podía hacer algo por mí misma. De ahí que ahora intente inculcar en mi hija esta confianza. Recientemente se le ocurrió que podría componer canciones para un concurso de la radio y grabar en vídeo sus propias actuaciones. En realidad, creo que no tenía ni idea de las enormes dificultades derivadas de su decisión, pero le ayudé a enlazar unas cuantas notas y a grabarla en vídeo. Todo un reto, pero se salió con la suya: se presentó.»

El refrán «Es la actitud y no la aptitud lo que determina tu altitud» expresa el hecho de que lo que creemos acerca de nosotros mismos es incluso más importante que nuestras habilidades y talentos inherentes. Muchos genios no consiguen alcanzar sus sueño. Creer que somos capaces y podemos hacer realidad nuestros ideales es lo que nos mantiene vivos y nos hace sentir realizados.

¿Se te ocurre un proyecto del que, de niño, te sentiste orgulloso de haber terminado? ¿Cómo describirías aquel sentimiento de logro?

Enséñale ideales

Debes trabajar, todos debemos trabajar, para hacer un mundo mejor para los niños.

PAU CASALS

Cuando el hijo de Sarah, Ian, empezó a llamar a sus amigos con apelativos tales como «estúpido» y «chaval» a la edad de cuatro años, ella llegó a la conclusión de que ya había suficientes insultos en el mundo como para que su hijo aportara su granito de arena personal a tamaño despropósito. Otros padres le decían que los insultos eran una de las actividades favoritas de todo niño de cuatro años. Sarah estaba de acuerdo en que comunicar el disgusto de un modo civilizado constituía todo un desafío para los niños de todas las edades, pero como profesora que había sido, había observado que insultar a la gente en lugar de dialogar y afrontar el conflicto, no era una etapa en el desarrollo del niño. «Sé perfectamente que llamar a alguien "cabeza de chorlito" a los cuatro años puede parecer inofensivo, pero he podido comprobar que los insultos empeoran cuando se desarrolla el hábito, y pueden llegar a ser muy desagradables en primaria y la adolescencia.» Sarah está convencida de que el insulto conduce a la bravuconería.

Sarah sabía que tratar con respeto a los demás era un valor que deseaba instaurar en su familia. Así pues, habló con Ian, diciéndole que estaba bien decir «Estoy enfadado contigo» o «No cojas mi juguete», pero que no debía insultar, porque el insulto hiere los sentimientos de aquel a quien van dirigidos. Se sentiría mal y le devolvería insulto por insulto. Organizaron situaciones de rol en las que el niño se enojaba con otros compañeros de la escuela, discutiendo formas que podría utilizar para clarificar las cosas sin recurrir a un insulto. A pesar de todos los pesares, Ian seguía haciendo lo que hacían sus amigos.

Sarah se preguntaba si intentar mostrarse estricta en esta cuestión sería irrazonable o no haría sino empeorar las cosas. ¿Debía darse por vencida? No lo hizo. Utilizaría otra estrategia. Fue así como dijo a Ian, cuando lo había llevado a jugar a casa de un amiguito, que si lo insultaba, sufriría las consecuencias, regresando a casa de inmediato. ¡Un asunto socialmente arriesgado para ella! Bastaron tres retornos accidentados para que su hijo captara el mensaje. «No tardó en olvidar en hábito de insultar.» Cuando los demás advirtieron el éxito de Sarah, cambiaron su punto de vista y también empezaron a prohibir los insultos. Todos se dieron cuenta de lo mucho mejor que transcurrían las citas lúdicas de los niños.

Hoy en día, Ian tiene ocho años y goza de la estima de sus amigos. Sarah alberga un enorme sentimiento de satisfacción al comprobar que el trato respetuoso de los demás se ha convertido en una parte integral de sus relaciones. «Ian y sus compañeros han aprendido a tratarse con respeto.» Es difícil luchar por un ideal, como en el caso de no insultar, cuando es algo tan habitual en nuestra cultura incluso como fuente de humor. Los medios proyectan la actitud de que la capacidad del duelo verbal es señal de superioridad. Sarah es consciente de que debe perseverar y no tolerar este tipo de mentalidad en su casa, pues no es más que una costumbre generalizada de nuestra cultura.

Una de las mejores perspectivas que podemos adoptar como padres es creer que lo que hacemos y lo que hacen nuestros hijos cuenta en la gran estructura de las cosas. El proceso se inicia demostrando con el ejemplo la honestidad y el amor. Asimismo, algunos estudios han demostrado que cuando los padres adoptan un enfoque orientado a los demás, como hizo Sarah («Insultar hiere los sentimientos.»), en lugar de imponer una regla

(«¡Insultar está mal!»), los niños crecen más empáticos, una cualidad esencial en el desarrollo ético.

Nuestras familias son el microcosmos en el que nacen los altos ideales. Como dice Pau Casals en la cita introductoria de este capítulo, todos debemos trabajar para que el mundo sea mejor. Es muy fácil señalar con el dedo a otros recriminándolos por su falta de valores, pero nuestro mundo real se compone de un abanico de acciones que los niños deben comprender.

Cuando demostramos que virtudes tales como la honestidad, el respeto hacia los demás, el afecto o la lealtad no son palabras vacías de significado, nuestros hijos son más capaces de utilizarlas en sus interacciones y adoptarlas como valores sólidos en su comportamiento.

Haz una lista de cinco valores que quieres que aprendan tus hijos. ¿Cómo los has incorporado en tu vida?

Los detalles son importantes

Los detalles, por sí mismos, son esenciales. Somos amables y afectuosos a base de ser amables y afectuosos.

ERIC HOFFER

Mi nieto de dos años y medio, Malachi, llega con su coche de bomberos hasta el sofá en el que mi marido y yo estamos leyendo un cuento a Lila, su hermanita de un año y medio. Lo aparca con cuidado, cuelga el casco de bombero en una esquina de la mesita y se acurruca para oír el relato. De inmediato, Lila da un brinco, sube al coche y empieza a dar vueltas por la sala. La reacción de Malachi no se hace esperar. Echa a correr tras ella y la agarra por el cuello con la intención de hacerla caer. Nos apresuramos a detenerle mientras sigue corriendo y gritando: «¡Mío». Al final conseguimos atraparlo y levantarlo en brazos. Le explicamos que su hermana también puede jugar con el coche de bomberos. Nuestros argumentos no lo convencen, pero logramos distraerlo con unos cuantos lápices de colores para maquillarse. Cuando los padres regresan, se ha pintado la cara y no presta la menor atención a lo que está haciendo Lila. ¿Remedios para las peleas fraternas?

En realidad que los hermanos riñan entre sí es normal. A decir verdad, es una de las formas en las que los niños aprenden a negociar. El instrumento más eficaz para fomentar una interacción positiva es advertir y comentar los actos de afecto y los detalles positivos de Malachi y Lila en su interrelación. Procuro siempre hacer un especial hincapié en su juego pacífico y en las ocasiones en las que usan palabras en lugar de puños para dilucidar una disputa. Prestar atención a sus intentos de interactuar ·

pacíficamente aumenta las probabilidades de que intenten reutilizar estas técnicas. Las investigaciones han demostrado que cuantas más veces recurre un niño a la amabilidad en su trato con sus iguales, más dispuesto estará a hacerlo en el futuro.

A primera vista, esta tarea parece fácil, pero puede no serlo cuando se trata de realizarla sistemáticamente. Cuando los niños juegan en paz, no solemos advertirlo. En ocasiones, sus acciones positivas también pueden ser demasiado fugaces como para darse cuenta, y cuando se produce la pelea, nuestra reacción es intentar zanjarla en lugar de explicarles cómo deben utilizar el lenguaje para resolverla.

Como padres, debemos prestar la máxima atención, obsesiva si es posible, a los detalles positivos de nuestros hijos. Haciéndolo así, también nosotros cambiaremos. Cuando empezamos a fijarnos en los comportamientos generosos y empáticos de los niños, adquirimos una perspectiva más equilibrada. Es fácil pensar que los momentos negativos son constantes, pues ignoramos los positivos. Si les prestamos la debida atención, podremos orientarlos en los valores del afecto y el trato amable incluso en pleno impulso de egoísmo y disgusto.

En el libro de Faber y Mazlish *Padres liberados, hijos liberados*, una madre observa que su hija es cada vez más egocéntrica, hasta el punto de empezar a perturbar la paz familiar. En un esfuerzo por aplicar la reafirmación positiva, intenta en vano identificar un momento en el que la niña demuestra amabilidad. Finalmente, un día, después de que se haya comido ella sola casi toda una caja de galletas, agarra la caja y le agradece que haya dejado unas cuantas para sus hermanos. La niña la mira incrédula. No tenía la menor intención altruista de reservarlas para ellos, pero comprende la situación. El aprecio de su madre por su «amabilidad» hace mella. Con el tiempo, y a base de repetir, aquel comportamiento negativo e insociable va desapareciendo paulatinamente.

Este proceso milagroso me recuerda una cita de Johann von Goethe: «Trata a los demás como si fueran quienes deberían ser y los ayudarás a convertirse en lo que son capaces de ser». Es fácil fomentar, inadvertidamente, la falta de generosidad en un niño. Si nos limitamos a reprenderlo por no haber hecho los deberes o haberse comido la última galleta, no vamos a conseguir nada. Pero, en cambio, si nos acostumbramos a observar y elogiar los momentos positivos, por muy breves que éstos sean, descubriremos que tenemos el poder de ayudarlo a convertirse en la persona sensata y amable que es capaz de ser. El objetivo de destacar las mejores cualidades del niño constituye el núcleo de una disciplina eficaz y una buena paternidad.

Puntúa en una escala del 1 al 10 tus hábitos de observación y aprecio de las acciones positivas.

CAPÍTULO 5

DISCIPLINA MEDIANTE EL EJEMPLO, NO POR DEFECTO

Busca un referente

El ejemplo no es lo más importante cuando se trata de influir en los demás. Es lo único importante

ALBERT SCHWEITZER

Emma libraba luchas de poder tan intensas con Billy, su hijo de dos años, que en ocasiones incluso la lastimaba. Era grandote para su edad, y cuando se enojaba podía golpearla y darle patadas. A veces le tiraba cosas y la asustaba. Desde luego, no tenía la menor idea de lo que debía hacer para solucionar el problema. «Mis padres fueron muy permisivos y no tuve buenos modelos de rol para establecer límites. Intenté hacer lo que recomendaban los libros sobre paternidad, pero fue inútil. Era consciente de que mi voz no comunicaba autoridad. De ahí que Billy hiciera caso omiso de las reprimendas. Si intentaba detenerlo físicamente, se debatía alocadamente. Tengo sólidos valores acerca de la paternidad y no quiero chillarle ni pegarle, pero tampoco quiero seguir siendo su víctima.»

En el caso de Emma, era especialmente importante para ella llevarse bien con Billy, pues sufría lupus. «Agredirlo» físicamente le resultaba muy doloroso. Esta enfermedad también le impide tomar el sol, y es fundamental que el niño le haga caso cuando le dice que entre deprisa en el coche.

Una noche, Emma decidió comentárselo a Phyllis, la moderadora en el grupo de padres al que pertenecía. A medida que Phyllis hablaba, iba descubriendo que en realidad encarnaba todos sus ideales más elevados acerca de cómo ser padre, y se propuso aprender de ella. Le preguntó si podía llamarla de vez en cuando a su casa, y Phyllis le dio su número de teléfono, invitándola asimismo a participar en sus clases de paternidad.

Emma y su marido aceptaron la invitación, y lo cierto es que las técnicas que aprendieron pusieron fin a las luchas de poder. Además, las dos mujeres se hicieron amigas, y Emma tenía la oportunidad de ver a Phyllis con sus hijos. «Observar las formas en las que se relacionaba con ellos fue muy valioso para mí. Empecé a ver la luz al final del túnel. Al final, mis esfuerzos se verían recompensados. Escuchaba el tono de voz que utilizaba cuando ofrecía alternativas o pedía algo. Me encantaba su modo de interactuar con los niños. Cuando me enfrentaba a una situación difícil, me preguntaba qué haría Phyllis, y siempre se mostraba encantada cuando la llamaba.»

La forma de Emma de tratar a Billy se fue haciendo gradualmente más autoritaria, un modo de relacionarse del que nunca había tenido un modelo en la infancia. Hoy tiene seis años, y Emma manifiesta con orgullo que las luchas de poder prácticamente han terminado. Sus maestros dicen que su comportamiento es excelente. «Hubiese podido ser un niño difícil a causa de su extraordinaria energía, pero aprendí a interactuar con él.»

Nadie nos sugiere que busquemos modelos de rol cuando nos convertimos en padres. Tal vez sea debido a que nuestra sociedad ignora a quienes están dotados de talento para relacionarse con los niños. Tenemos mentores en proyectos académicos y carreras. ¿Por qué no buscar ejemplos positivos en la mayor y más importante de todas las empresas que emprendemos: ser madre o ser padre? Basta buscar a alguien que posea las cualidades que deseamos aprender y observar cómo actúa. Como dijo una madre: «Nadie sabe afrontar satisfactoriamente todas las situaciones derivadas de la paternidad, pero algunos saben hacerlo mejor que otros».

La mayoría de los padres tienen una vaga imagen del padre o la madre que desearían ser, pero en ocasiones los comportamientos y conocimientos específicos que quieren adquirir son confusos. Si dedicamos el tiempo necesario a observar lo que ocurre realmente cuando las personas trabajan eficazmente con niños, advertiremos su tono de voz, su lenguaje corporal y las palabras que usan. Las cosas concretas que hace la gente nos pueden ayudar a hacer realidad nuestros ideales.

Podríamos acudir a un psicoterapeuta y adoptarlo como modelo de rol. Si no queremos repetir la forma en la que reaccionaban nuestros padres cuando expresábamos nuestros sentimientos, prestemos atención a cómo el terapeuta responde a nuestra solicitud de ayuda. Este tipo de modelo de rol tiene un efecto incluso más profundo si cabe, ya que el profesional nos enseña a replantearnos una infinidad de aspectos y factores que influyen decisivamente en nosotros y en nuestra relación con los hijos. Cuando aprendamos a funcionar mejor en nuestro interior, nos resultará mucho más fácil interactuar correctamente con ellos.

Tanto si intentamos emular a un conocido o a un especialista, conviene recordar el antiguo adagio que dice «Ver es creer». Identificaremos aquellas habilidades de las que carecemos mientras otros las llevan a la práctica. Aprenderemos el proceso de ofrecer alternativas limitadas y de imponer consecuencias lógicas.

Haz una lista de las personas cuya relación con sus hijos admiras, anotando junto a cada nombre las cualidades o habilidades que hayas observado.

Dales una alternativa

Si le dijera a mi hijo: «Me molesta que juegues a la pelota en casa; sal fuera o juega a otra cosa, tú decides», y él hiciera caso omiso, debería estar preparado para guardar yo mismo la pelota y decirle: «Jimmy, ya veo que has decidido».

HAIM GINOTT

Un padre, en el aparcamiento, intenta convencer a su hija de que debe subir al coche. La niña empieza a llorar y a tirarle de la mano. Observo la escena, preguntándome si acabará perdiendo la paciencia ante su repentina respuesta «irracional». Muchas veces, al enfrentarse a este tipo de situaciones en público, los padres pierden la compostura. Sin embargo, este caso es diferente. El padre reacciona con templanza. «Ya veo que no quieres subir al coche, pero tenemos que marcharnos. ¿Qué prefieres, agarrar mi mano o que sea yo quien te tome en brazos?» Al pasar junto a él, se había agachado para levantarla. Estaba asombrada ante tal demostración de serenidad.

Al ofrecerle alternativas a su hija, evitó que la tensión fuera *in crescendo* hasta escapársele de las manos. Demostró tener una importante habilidad de disciplina que podría descifrar mejor analizando lo que en realidad no hizo.

No se enzarzó en una larga explicación sobre por qué tenían que marcharse e imponer así su punto de vista.

Tampoco menoscabó su propia autoridad repitiendo la alternativa una y otra vez u ofreciéndole múltiples posibilidades.

No intentó sobornarla con un premio o un regalo.

Tampoco hirió sus sentimientos diciendo: «Ya sabes que tenemos que marcharnos. ¿Por qué lloras entonces? Te estás comportando como un bebé y por tu culpa llegaremos tarde».

Al concederle el poder de decidir cómo prefería subir al coche y reaccionando con rapidez, el padre demostró que proporcionar a los hijos opciones limitadas puede evitar mayores dificultades en aquel mismo momento e incluso pautas de conflicto a más largo plazo. Imagino a aquella niña sentada alegremente en el coche, feliz por haber tenido la posibilidad de ejercer un cierto poder en su vida.

Al igual que cualquiera que se ve presionado a hacer lo que otro desea, los niños resisten nuestros esfuerzos orientados a imponer obediencia, y cabe la posibilidad de que malinterpreten nuestra actitud. Ofrecerles alternativas claras aumenta su poder y su consciencia de lo que ocurrirá a continuación.

Pero en ocasiones, las opciones que podríamos ofrecer no son evidentes, sobre todo en situaciones irritantes que se repiten a menudo. En tal caso, es importante pensar creativamente, con antelación, acerca de las alternativas que vamos a ofrecer.

Mis hijos no me prestaban la menor atención cuando les imploraba que dejaran de reñir y empujarse en el coche. Explicarles los peligros potenciales derivados de su conducta no parecía surtir efecto, lo cual no hacía sino ponerme más nerviosa. Al final decidí ofrecerles una alternativa, aunque lo cierto es que dudaba de su eficacia. Aparqué el coche a un lado de la carretera y dije: «Podéis hacer dos cosas. Guardáis silencio y os estáis quietos, sin importunaros, o nos quedamos aquí». Acto seguido, agarré un libro y empecé a leer mientras reflexionaban acerca de lo que querían hacer. A base de repetir la experiencia, un día llegó la recompensa: «Sí mamá, ya lo sabemos; hay que estar calladito». ¡Menuda satisfacción! Más tarde escribí un artículo sobre cuánto llegamos a disfrutar de aquellos momentos de absoluto silencio.

Tener la libertad de elegir entre una acción y otra es uno de los grandes dones de la vida. Cuanto más conscientes somos de las alternativas en lugar de actuar sin pensar, mayor es el poder de encauzar nuestro camino. Ayudamos a los niños a ser conscientes de que pueden tomar buenas decisiones cuando les ofrecemos opciones concretas y les demostramos respeto por la que eligen.

Recuerda alguna situación con tu hijo que te haya disgustado sobremanera y haz una lista de las alternativas que podrías haberle ofrecido.

Las repercusiones
valen más que mil palabras

Si quieres persuadir, apela al interés, no al intelecto.

BENJAMIN FRANKLIN

Barbara no se cansaba de repetir lo mismo cada mañana a sus dos hijos de seis años: tenían que vestirse y desayunar con presteza para llegar a tiempo a la escuela. Como maestra del mismo centro al que iban los niños, su obligación era estar en la clase antes de que llegaran los alumnos. Pero Adam y Leila no tenían el menor interés en llegar pronto y se entretenían con cualquier cosa. Finalmente, su madre les advirtió que su actitud iba a tener consecuencias: «Si no estáis listos mañana, os vestiréis en el coche».

Sus palabras no hicieron mella en los niños, o por lo menos no en aquel momento. Al día siguiente, Adam y Leila andaban correteando de aquí para allá en pijama cuando llegó la hora de salir. Sin inmutarse, Barbara agarró su ropa y una manta, se subió al coche y arrancó. Tras haber dado una vuelta a la manzana, los encontró a los dos en el porche, en pijama. «Mamá, ¿qué haces?», dijeron llorando. Durante el trayecto hasta la escuela, tuvieron que vestirse debajo de la manta para proteger su intimidad.

La próxima vez que Bárbara se llevó sus cosas al coche, los niños sabían perfectamente lo que significaba. Pero tuvieron que vestirse ahí dos o tres veces más antes de que aprendieran a estar listos a la hora prevista. Al final, fue su propio interés lo que los decidió. Querían vestirse en casa, donde nadie podía verlos. El argumento intelectual de que tenían que estar arreglados y prestos para salir de casa para evitar que su madre llegara tarde no surtió efecto, pero la consecuencia dejó en ellos una huella indeleble.

En *Children: The Challenge*, probablemente el best-séller sobre disciplina infantil jamás escrito, Rudolph Dreikurs dice: «Las consecuencias naturales representan las presiones de la realidad [...]. Siempre son eficaces». La clave, sigue diciendo, reside en usar un tono positivo al advertir al niño acerca de las repercusiones de sus actos. La actitud de Barbara fue amable y afectuosa cada vez que llevó la ropa de los niños al coche. Si su tono de voz hubiera sido de reprimenda, la consecuencia habría sonado a castigo, lo cual probablemente habría provocado resentimiento en los niños.

Recientemente, un padre me contó la batalla que había librado con su hijo de cuatro años una mañana. El pequeño le había desobedecido y se había comido un caramelo. El padre lo tiró a la basura, diciendo: «Ésta es la consecuencia de lo que has hecho».

Más tarde, cuando habían salido de casa, el buen hombre no podía encontrar las llaves del coche. El niño dijo: «Las he tirado; ésta es la consecuencia».

Emplear una actitud afable cuando asignamos una repercusión a un comportamiento negativo conserva intacta nuestra relación armoniosa con nuestros hijos. También evita las discusiones. Considera las consecuencias de las acciones como lo que son en realidad, algo parecido a la fuerza de la gravedad. Lo que sube, baja. No estamos castigando, sino dejando que la naturaleza siga su curso. Incluso podemos mostrarnos comprensivos: «Siento mucho que no puedas ver la televisión, pero no terminaste los deberes tal y como habíamos acordado».

Ten en cuenta sin embargo que cuando advertimos al niño de las repercusiones, no hace falta reiterarlas demasiado. Un par de veces es más que suficiente. Los niños se adaptarán enseguida a lo que más les conviene. La consecuencia derivada de un acto hace casi todo el trabajo. A un padre le gustó mucho que el profesor del curso de educación para padres al que asistía comparara las consecuencias a un *swing* de golf. La analogía tenía sentido: «Si te relajas y dejas que la fuerza de gravedad desplace el palo, el *swing* es más fácil y más eficaz. Lo mismo ocurre con las repercusiones. Hacen el trabajo por ti».

Al igual que la decisión de Barbara de dejar de sermonear y salir de casa sin más, las consecuencias motivan a los niños a reaccionar mejor la próxima vez y nos permiten establecer los límites que necesitamos para que todo marche sobre ruedas.

Piensa en tu infancia y en cómo los adultos intentaban enseñarte a modificar tu comportamiento. ¿Cómo te sentías cuando tus padres usaban un tono de voz imperioso o crítico al corregirte? ¿Establecían límites que te ayudaran a respetar sus necesidades? ¿Recuerdas alguna consecuencia que te enseñara una lección?

Respeta los límites

> Un límite es una «línea de propiedad» que define dónde
> termina una persona y empieza otra.
>
> DRES. HENRY CLOUD Y JOHN TOWNSEND

Después del almuerzo en la escuela, Bryan, de cinco años, so-
lloza en el patio, tirando de la manga de la blusa de su madre.
Otros niños observan la escena con curiosidad. «Quiero ir contigo», dice llorando. Caryl ha salido del trabajo antes de la hora
para pasar a buscar a Regina, la hermana gemela de Bryan, que
tiene fiebre. Ella se arrodilla y explica a su hijo con afecto: «No
vas a venir conmigo. Regina está enferma y necesita toda mi
atención. Tengo que hablar con el médico y no puedo hacerlo
todo si los dos os portáis así».

«No es justo», grita Bryan. «Quiero estar contigo. ¡Me por-
taré bien te lo prometo!» Caryl se pone en pie para marcharse.
«Ya sé que quieres venir conmigo, y me gustaría que pudieras,
Bryan. Pero hoy le toca a Regina ir al médico. No podría con
los dos. Estaremos juntos cuando te recoja por la tarde.»

Me di cuenta de que en este pequeño intercambio se había
producido un proceso remarcable. Caryl no sólo estaba permi-
tiendo a su hijo que expresara su enojo, sino que también estaba proclamando el derecho del pequeño a tener sentimientos de
disgusto y el suyo a permanecer en el ámbito de sus propios límites.

En otras generaciones con una menor sintonía emocional, el
comportamiento «normal» de Caryl podría haber incluido aver-
gonzarlo por «llorar como un bebé delante de la gente», propi-
narle un bofetón por no aceptar un «no» e incluso amenazarlo

con no pasar a buscarlo nunca más si continuaba con tan desagradable espectáculo. Antes de que los padres adquirieran conciencia de las consecuencias permanentes de avergonzar y amenazar con el abandono a los niños, poner fin de inmediato al enfado era algo así como un deber, la única forma de mantener la autoridad.

Y lo comprendo. He tardado años en darme cuenta de que el enojo indiscriminado de mi hijo puede despertar en mí una reacción similar a la de un niño que desea defenderse a toda costa. Muchos conflictos entre adultos y niños conducen a un callejón sin salida entre dos «bebés» que se acusan mutuamente y que no pueden evitar el resentimiento.

Pero Caryl hace las cosas de un modo diferente y ha demostrado conocer un principio básico de la cordura, o mejor de la «salud mental»: sabe perfectamente dónde terminan los sentimientos de Bryan y dónde empiezan los suyos.

En su libro *The Family*, John Bradshaw describe a una persona madura como aquella que tiene «límites del ego predeterminados». He observado que la reafirmación de Caryl de un límite le ayuda a proteger su estado de ánimo. El mensaje que subyace debajo de sus palabras («Entiendo tu disgusto, pero no conseguirás cambiar mi estado de ánimo ni mis acciones.») ayuda a su hijo a ser consciente de su sentido independiente del «yo». Segundos antes de marcharse mamá, el niño corre a jugar con sus amigos, aliviado sin duda alguna al descubrir que no puede torcer la voluntad de su madre con sus sentimientos confusos.

Al igual que muchos padres, Caryl está aprendiendo que establecer límites firmes le permite proteger su bienestar emocional y físico, y rendir al máximo como madre. Pero sé que este proceso de aprendizaje es extremadamente difícil y a menudo va acompañado de sentimientos de culpabilidad y confusión.

De haber sucumbido bajo la oleada de presión emocional, una desagradable estancia en la sala de espera de la consulta médica podría haber minado su calma y cambiado su estado de ánimo el resto del día. Una de las mejores cosas que pueden hacer los padres es establecer un límite que les permita conservar un estado anímico positivo aun en aquellas situaciones en las que el niño manifieste su desacuerdo. Cuando somos capaces de llevar a la práctica un ideal, estamos sentando las bases de su repetición y demostrando a otros que es posible hacerlo.

Reflexiona y piensa en los límites que has establecido para conservar su equilibrio emocional y físico.

Recuerda una situación en la que dejaste a tu hijo expresar sus sentimientos sin permitir que influyera en los tuyos.

CAPÍTULO 6

BUSCA
LA OPORTUNIDAD
EN LA DIFICULTAD

Tolera la indecisión

> Lo que confundía [...] era saber cuál era el límite de libertad que debía ofrecer a Sam. No sé cuál es exactamente la fina línea que separa la buena paternidad de la sobreprotección. Me asaltaban dudas tal vez para otros simples, pero complejas para mí, como si debería dejarlo ir solo en bicicleta hasta varias manzanas de casa, cuando secretamente deseaba correr alocadamente a su lado.
>
> ANNE LAMOTT

¿Permitirías a tu hijo que saltara en parapente con un monitor en su séptimo aniversario si lo deseara por encima de todas las cosas? Éste es el dilema de la vida real del que la escritora Anne Lamott habla en su libro *Travelling Mercies: Some Thoughts on Faith*. En una conferencia en Idaho, Anne conoce a un instructor de parapente que invita a su hijo Sam a hacer un salto el día de su cumpleaños, dos días más tarde. Anne le explica que quiere meditar la decisión, y el instructor le anima a hacerlo. Mientras Sam le implora un «sí», la mitad de sus pensamientos le llevan a pensar que el chico se merece esto y mucho más; le daría todo cuanto estuviera en sus manos, pero la otra mitad sabe que sería arriesgado dejarlo saltar desde una montaña. Con todo, su indecisión le permite procesar la respuesta de una forma extraordinaria.

Llama a algunos amigos para pedirles su opinión. La mitad piensa que podría permitírselo, y la otra mitad considera que es una locura. Aquella noche pregunta la opinión a una pareja de amigos a los que ha invitado a cenar. El hombre apoya a Sam, pero la mujer insiste en que es demasiado joven. A medida que la discusión se va acalorando por momentos, la indecisión de Anne va en aumento.

Empieza a sonar la música y se levanta para bailar. Baila sola. Mientras se deja llevar por la suave melodía, recuerda una sencilla pero eficaz técnica para tomar decisiones que una vez le explicó un sacerdote. Se tranquiliza en su interior y se pregunta cómo se sentiría si Sam aceptara el envite. Automáticamente, su corazón da un vuelco y siente un nudo en el estómago. Luego piensa en la posibilidad de decirle que no; se siente eufórica. El cuerpo sabe la respuesta. Comprendiendo cuáles son sus verdaderos sentimientos, Anne llama por teléfono y anula la cita. Más tarde se asombrará al comprobar que su hijo coincide con ella en que no debe intentarlo.

¿Cómo se puede tomar una decisión en relación con un hijo cuando no se dispone de una respuesta específica? La sabiduría convencional nos llevaría a creer que la indecisión es una debilidad y que deberíamos tener siempre las ideas claras. El atractivo de la historia de Anne Lamott reside en la tolerancia que demuestra en su confusión. No sucumbe ante la presión de Sam. Convive con su malestar hasta descubrir sus verdaderos sentimientos, y decide entonces respetarlos. No puede permitir que su hijo salte en parapente a los siete años. Deberá esperar unos cuantos años más para surcar el cielo como un águila.

En mi opinión, la indecisión es con frecuencia la única respuesta sensata a todas las decisiones alocadas que tiene que tomar un padre. ¿Es seguro que vayan al supermercado solos o que monten en bicicleta alrededor de la manzana? ¿Deberíamos dejar que viera la película por el mero hecho de que todos los demás niños lo harán? ¿Y qué decir de las fiestas nocturnas después del baile?

La indecisión nos indica nuestra incapacidad para dar una respuesta inmediata a nuestros hijos, independientemente de lo mucho y de lo muy vehementemente que lo imploren. En ocasiones necesitamos más información o la oportunidad de sintonizar más eficazmente con ellos. Tal vez una consulta con otros padres o quizá mantenernos fieles a toda costa a nuestras convicciones. Otras veces debemos mantener la serenidad y sintonizar con nuestro cuerpo antes de saber lo que realmente sentimos y por qué. Al final, el dilema será siempre el mismo: ceder ante los sentimientos o ceñirnos a ellos.

No existe ninguna forma «correcta» de tomar decisiones relacionadas con los hijos, pero desde luego, una de las mejores cosas que pueden hacer los padres es ser honestos en su propia confusión consigo mismos y con los demás. De este modo, respetaremos nuestro compromiso en el descubrimiento de la mayor de las verdades y convivir con ellas. Muchas veces, la confusión proporciona el espacio interior necesario para formularnos preguntas y clarificar nuestras prioridades.

Piensa en algunas decisiones que hayas tomado y que respeten lo que es importante para ti como padre o madre. Haz una lista y ordénalas por orden de prioridad.

Recompénsalos con tiempo

La mariposa no cuenta meses, sino momentos, y aun así, tiene tiempo suficiente.

RABINDRANATH TAGORE

Pocos padres no han experimentado en alguna ocasión (¡muchas!) el disgusto de tener que librar un combate dialéctico con sus hijos, por la mañana o por la noche, para conseguir que se levanten de la cama, que salgan a tiempo de casa para no llegar tarde a la escuela, que se bañen, que hagan los deberes y que se acuesten a una hora razonable. Bajo presión, es fácil olvidar que los niños no están tan motivados como nosotros para apresurarnos a salir de casa y llegar a tiempo al trabajo o para meterse en la cama temprano. He podido comprobar que uno de los secretos de cambiar estas rutinas reside en ofrecerles algo que los estimule y los motive para cooperar.

De los cientos de padres a los que he consultado acerca de cómo se las arreglan para que todo transcurra de una forma más llevadera, la historia que más me gusta es la de Diana y su hija Erin. En preescolar, Erin detestaba decir adiós al entrar en la escuela. Lloraba y chillaba tanto que su madre aún podía oírla al subir al coche. Este comportamiento se prolongó durante aproximadamente ocho meses. Cuando empezó a remitir, Diana se sintió reconfortada, pero los maestros estaban preocupados por la causa de semejante malhumor matinal.

Cuando Diana vino a verme para consultarme lo que podía hacer con su hija, me di cuenta de que no sólo era una madre excelente, sino también la jefa ejecutiva de su empresa. Hablamos de las conductas que ponen a prueba el estado de ánimo de los padres por la mañana. La niña quería seguir viendo su serie de animación favorita en la televisión y se negaba a vestirse, y cuando por fin aceptaba, una nueva discusión: «¿Qué voy a ponerme hoy?». ¡Cielo santo! ¡Qué cruz! No tardé en comprender los motivos de la actitud de Erin. He visto en reiteradas ocasiones que despedirse de mamá es un reflejo del intercambio de sentimientos que se ha producido por la mañana. La situación era muy clara. Diane y Erin habían discutido desde que la niña se había despertado; Erin lloraba y gritaba.

Le propuse una solución que por mi experiencia he observado que da muy buenos resultados en una infinidad de ocasiones. Le aconsejé que recompensara a su hija con quince o veinte minutos de diversión a cambio de llegar pronto a la escuela. La pequeña tendría un incentivo para estar lista a tiempo, y su estado de ánimo mejoraría paulatinamente después de haber pasado un ratito con su madre. Le dije a Diane que este método también era aplicable a la noche, y que nada, ni siquiera un videojuego, un programa de televisión o un juguete se podía comparar con la recompensa de pasar un rato con ella.

La expresión de Diane reveló incredulidad. «¿Cómo voy a pasar un rato jugando con Erin cuando apenas tengo tiempo para asearme y vestirla? ¡Siempre llego tarde!» Abundamos un poco más en la imposibilidad de hacerlo por la mañana. Después, Diane se marchó tan cariacontecida como cuando había llegado. Sin embargo, transcurridos un par de meses, Erin experimentó un cambio repentino. Entraba en la escuela dando brincos y regalaba una sonrisa fascinante a los maestros. Decía adiós a su madre con toda la naturalidad del mundo. Los maestros estaban asombrados. Finalmente, después de dos semanas de rostro alegre, pregunté a Diane acerca del cambio que se había producido en el estado de ánimo de su hija.

Su mirada se endulzó e incluso pensé que se echaría a llorar.

«Empecé a pasar un rato con Erin por la mañana», dijo. «Y recuperé a mi hijita. Me levantaba un poco antes para poder estar con ella. Es una forma maravillosa de empezar el día.» Me sentí emocionada por el esfuerzo que estaba haciendo aquella mujer y que había obrado un cambio tan espectacular en el comportamiento de Erin.

Es difícil comprender cuán motivador puede ser una recompensa. Con los años he observado que planificar un tiempo de juego regular es una de las mejores cosas que pueden hacer los padres. Influye positivamente en cualquier conflicto pendiente con los hijos. Para comprenderlo, digo a los padres que den rienda suelta a su fantasía. Imagina que tu pareja o un amigo te sorprende regalándote flores y diciendo: «Te he echado tanto de menos. Necesito estar contigo. ¿Te gustaría hacer algo especial?». ¿Cómo describirías este cambio en su estado de ánimo? De repente queremos hacer cosas para otra persona, nos abrimos y deseamos cooperar. Así es cómo se sienten también nuestros hijos.

Comprender las necesidades de su hija ayudó a Diane a considerar su bienestar como la máxima prioridad, y como adulto, asumió la responsabilidad de reinstaurar la intimidad.

¿Cuán a menudo pasas algún rato entretenido con tu hijo? El tiempo que pasáis juntos significa mucho para ambos.

Yo soy el adulto

Me hubiera gustado que mi madre hubiese sido más adulta cuando era niña, aunque por aquel entonces no tenía la menor idea de su significado. Echando la vista atrás, habría sido estupendo que me hubiera transmitido el mensaje de que era capaz de hacer frente a todo cuanto se cruzara en su camino, incluso en los momentos más difíciles.

ANÓNIMO

Jackie dice que su vida es un infierno. Las cosas andan mal en la compañía de seguros en la que trabaja; las finanzas van de mal en peor; y por si fuera poco, a su marido lo han despedido. Entretanto, su madre se ha instalado en casa mientras busca un pisito en el vecindario. Cada día pregunta a David cómo marcha la búsqueda de un nuevo empleo, y se desespera al oír la misma respuesta de siempre: «Igual que ayer». Por su parte, su hija Megan, de nueve años, no para de preguntarle si se encuentra bien.

Jackie ha decidido hablar con la niña acerca de la crisis y la tensión que está soportando, aunque me asegura que no pretende que la familia le ofrezca más apoyo y consideración. En realidad, quiere convencer a Megan de que por muy complicadas que estén las cosas en este momento, no tiene que preocuparse de mamá. Desea que su infancia esté libre de la ansiedad que sentía ella de niña. «Necesité años de terapia para comprender mi propia dinámica con mi madre, y no quiero repetirlo. Megan tiene que divertirse y pasarlo bien. Sé por experiencia que si no le comento lo que está ocurriendo, acabará pensando que realmente hay un problema.» Jackie sabe que su hija no puede ayudarla en esta crisis, pero sí elevar su estado de ánimo incluso sin decir nada.

Biológicamente los hijos están sintonizados con nuestro estado interior. En una elocuente síntesis de neurobiología y psicología titulada *A General Theory of Love*, los doctores Thomas Lewis, Fari Amini y Richard Lannon describen cómo «un área primordial del cerebro mucho más importante que la del razonamiento o el pensamiento» nos impulsa a sentirnos afectados por las emociones calladas de los demás. La forma en la que el cerebro establece este vínculo forma parte de la historia de la supervivencia humana. El niño debe aprender a leer las sutiles señales del estado interior de su cuidador para sentir la seguridad del vínculo afectivo.

Jackie sabe que la capacidad de su hija de captar su malestar es normal, pero también sabe que sus consejos de no preocuparse podrían desencadenar en ella el deseo irrefrenable de solucionar las cosas. Lo que separa las percepciones de Jackie de las de los padres que no han reflexionado sobre estas cuestiones es que su prioridad es seguir siendo «adulto» y conseguir que su hija se sienta segura. «Le diré que todo el mundo tiene dificultades tarde o temprano, y que cuando tengo estos sentimientos, puedo necesitar estar sola durante un rato, lo cual no debe preocuparla. Sé cómo cuidar de mí misma.»

Es muy útil para una niña de nueve años comprender que su madre puede estar estresada, frustrada o triste, y que puede necesitar un tiempo a solas para procesar sus sentimientos. Una de las mejores cosas que pueden hacer los padres es responder a sus hijos de una forma estimulante cuando preguntan «¿Estás bien?». Alguien puede decir: «Estoy cansado de de todo el día de trabajo, pero me sentiré mejor cuando haya tomado una taza de café». Los padres tienen que buscar oportunidades de demostrar que son capaces de enfrentarse a la adversidad y dejar que sus hijos sepan que no tienen que preocuparse de ellos. Cuando hablan de los instrumentos que usan para aliviar la tensión, los pequeños descubren que los sentimientos intensos se pueden controlar y que los obstáculos se pueden superar.

Jackie se puede sentir orgullosa de todo el trabajo que ha hecho para aprender lo que significa realmente ser un adulto. Es fácil cuando estamos abrumados por las circunstancias de la vida olvidar que nuestros estados de ánimo afectan a nuestros hijos. Jackie es afortunada de ser madre precisamente cuando la gente es consciente de que asumir las cargas emocionales de los padres impide que los niños concentren toda su energía en su desarrollo. La naturaleza los ha programado para captar nuestro malestar, pero demostrarles que somos capaces de superarlo y hacerles comprender que ellos no tienen la culpa es una de las mejores cosas que pueden hacer un padre o una madre. Convencer a Megan de que mamá puede afrontar lo que depara la vida ayuda a Jackie a tomar conciencia de sus propias fuerzas y sentirse dichosa de su propio crecimiento.

Evoca una ocasión en la que tu padre o tu madre parecían muy preocupados. ¿Cómo afrontaban la situación? ¿Qué mensaje hubieras deseado que te transmitieran?

Te estoy muy agradecido

La gratitud abre las puertas de la plenitud en la vida. Convierte todo cuanto tenemos en suficiente e incluso más.

MELODY BEATTIE

Cuando Ted, el hijo de Georgia, se fracturó una pierna el año pasado, su maestra lo llevó inmediatamente a la enfermería. Curiosamente, no lloraba y se expresaba con tranquilidad. Georgia estaba asombrada. Pero el médico dijo que había que dejar la pierna tal cual estaba, sin sedación, hasta después del almuerzo, y que iba a ser muy doloroso. Mientras cruzaba el vestíbulo de la escuela, a Georgia los minutos le parecían horas. Aunque deseaba estar a su lado, desde el principio había experimentado un profundo sentimiento de gratitud. «Cuando fui al Hospital Infantil me dieron una maravillosa noticia. Mi hijo iba a salir del centro y se pondría bien. De pronto me di cuenta de la suerte que había tenido de que no hubiera ocurrido algo peor. Empecé a dar las gracias, gracias por la fractura de la pierna, gracias por la ayuda que había recibido su hijo, gracias porque habían podido localizarla por teléfono y gracias al conductor de la ambulancia. No podía parar de dar las gracias.»

Georgia recuerda que el profesor en un curso de psicología había dicho que en el *I Ching*, el libro chino de la adivinación, hay un símbolo que significa crisis y oportunidad a un tiempo. Echando la vista atrás y pensando en aquel día en el hospital, es consciente de cuánto han aprendido ella y Ted a raíz de aquella desafortunada situación.

Georgia dice que la ola de gratitud que experimentó también ha ayudado a comunicarse mejor con el pequeño. Hubiera podido enfadarse con el muchacho que resbaló y cayó sobre él fracturándole la pierna, pero no lo hizo. Lo primero que hizo aquel día, una vez enyesada la pierna y de regreso a casa, fue escribirle una carta para decirle que no se preocupara. «Ha desarrollado un sentimiento muy especial hacia los enfermos. Sabe que ha estado en el hospital y cómo se siente uno cuando está allí. También comprende a quienes tienen que resignarse a andar con una silla de ruedas o con muletas, pues también él tuvo que hacerlo durante dos meses. ¿Puedes imaginar cómo se siente un niño de ocho años viendo a sus compañeros corriendo por el patio y jugando al balón? Me ofrecí voluntaria en la escuela durante dos meses, pues era incapaz de ir al lavabo por sí solo y no quería que nadie más lo acompañara.»

Piensa en lo diferente que habría sido la experiencia de Georgia de no haber cultivado una actitud de gratitud hacia su hijo. También habría podido enojarse con el médico, que le hizo esperar fuera del servicio de urgencias, sin mencionar el odio a la vida por haber sometido a su hijo a semejante sufrimiento. Para ella, la gratitud fue una bendición que le permitió concentrarse en el lado positivo de la experiencia.

Es fácil ser agradecido cuando ninguno de nuestros seres queridos está enfermo o sufre dolor, cuando tenemos un buen empleo, una excelente relación de pareja y un hijo que se esfuerza en sus estudios, pero es más difícil decir «gracias» cuando las cosas no marchan como sería de desear. Como dice el refrán, «¿Quieres hacer reír a Dios? ¡Cuéntale tus planes!».

¿Dónde reside lo positivo de ofrecer nuestra gratitud en lugar de nuestra ira cuando un aparente infortunio se ceba en un ser querido?

La actitud de gratitud ayuda a cuantos nos rodean, especialmente a nuestros hijos, a vernos como modelos de rol. También nos cura a nosotros. Cuando consideramos los problemas como oportunidades para crecer y adoptamos una actitud agradecida hacia ellos, estamos programando nuestra mente subconsciente para liberarnos del miedo, concentrarnos en lo positivo y envolvernos en un halo de paz interior. Cuando enseñamos a los hijos a buscar razones para ser agradecido, aportamos nuestro granito de arena para crear una nueva generación más consciente de su capacidad para elegir emociones positivas. También podemos dar las gracias por estar vivos en una era en la que el mundo nos ofrece los instrumentos y conocimientos que necesitamos para impulsar el desarrollo de nuestros hijos.

Haz una lista de las diez primeras cosas en tu vida por las que debes estar agradecido.

Piensa como un experto

En algún lugar, algo increíble nos está esperando.

Anónimo

Cuando conocí a Terry y Eric, su hija de dos años, Marissa, estaba experimentando un retroceso en el lenguaje oral. A los catorce meses tenía un vocabulario de doscientas palabras, pero luego la vacunaron contra el sarampión, tos ferina y rubéola, una reacción alérgica le produjo mucha fiebre y estuvo ingresada dos semanas en el hospital. Luego empezó a perder la facilidad que había demostrado en la expresión oral, hasta terminar gruñendo y chillando cuando quería algo. Terry se negaba a dar crédito a quienes pronosticaban autismo. Había oído historias de casos similares asociados a un agente alérgico en este tipo de vacunas cuando se administraban juntas. Encontró páginas en Internet de estudios que corroboraban lo que había oído y se enteró de que en Japón estaba prohibida su administración en una sola toma. Terry y Eric consultaron con muchos profesionales y leían cuanta información caía en sus manos acerca del problema de Marissa.

Terry decidió seguir el consejo de una maestra del nuevo curso de preescolar de educación especial, que sugería hablar con la niña continuamente como si nada hubiera ocurrido. Terry dejó su trabajo para estar en casa con su hija y le hablaba a todas horas a pesar de la ausencia de respuesta. Con el tiempo, el lenguaje de Marissa empezó a mejorar como resultado de una terapia oral a la que la sometieron en la escuela y de la técnica de hablarle continuamente en casa. Cuando cumplió los cinco años, Terry y Eric tuvieron que enfrentarse a un inesperado dilema que exigía una decisión. ¿Debían llevarla a una escuela normal aunque todavía fuera difícil comprender lo que decía? Consultaron con varios profesionales, pero la decisión final era suya. Al final, después de mucho reflexionar, decidieron confiar en la intuición. Matricularon a la niña en un centro que fomentaba la participación de los padres, y Terry se ofreció voluntaria en la clase. Cada día ayudaba a otros niños a comprender lo que decía Marissa.

Ahora, en su tercer grado «normal», nadie imaginaría que aquella niña estuvo a punto de recibir educación especial. Rinde en la escuela y su expresión oral es prácticamente normal. Curiosamente, ahora habla de las cosas que sus padres le decían cuando nadie sabía a ciencia cierta si lo comprendía. Hace poco, recordó un globo de color blanco que se le había escapado y las explicaciones que le había dado su madre sobre cómo volaba y lo hermoso que se veía ascendiendo más y más en el cielo. Terry y Eric se sienten emocionados por los recuerdos de su hija y recompensados por haber sabido elegir el consejo profesional correcto y confiado en su propia intuición para ayudar a la niña.

Vivimos en una época en la que nos sentimos capacitados para convertirnos en defensores de la salud mental y física de nuestros hijos. Si conseguimos pensar como un experto, podemos aprender mucho acerca de una cuestión determinada. Esto significa manejar ingentes cantidades de información y consultar con otras personas con experiencia, y luego establecer hipótesis en relación con cuál debería ser la decisión más eficaz. Busca tus propias respuestas tal y como lo haría un experto.

El caso de Terry y Eric me recuerda los increíbles esfuerzos de otros dos padres, Mikaela y Augusto Odone. No eran médicos, pero encontraron un modo de detener el avance y posteriormente curar a su hijo, aquejado de una enfermedad terminal. La historia de esta pareja buscando respuestas en estudios científicos y extrayendo sus propias conclusiones hasta salvar la vida del niño se cuenta en una película de 1992 titulada *Lorenzo's Oil*. Actualmente, el mundo está lleno de innumerables relatos de padres que andan en pos de los conocimientos que necesitan y que confían en su instinto. En general, no son casos extraordinarios de vida o muerte, pero aun así, celebran la capacidad de desarrollar nuestra experiencia en la crianza de los hijos.

Como escribió Alvin Toffler en *El shock del futuro*: «El conocimiento reside en saber dónde buscar».

Desarrollar recursos nos proporciona la habilidad de tomar decisiones más informadas, aunque no hay que olvidar jamás que a menudo el más profundo de los conocimientos procede de la intuición y percepción.

Busca información en Internet acerca de algún tema relacionado con los niños o habla con un amigo acerca de lo que ha conseguido saber sobre el mismo. Lleva un archivo actualizado de todos los recursos relacionados con tu investigación. ¿Qué estudios corroboran lo que sabías del tema en cuestión?

CAPÍTULO 7

CONÓCELOS DE MEMORIA

Para el mundo
y escúchalos con atención

Es útil prestar «atención» a la calidad de nuestra «atención» y practicar el arte de escuchar para poder ofrecer este don a los niños.

HARRIET LERNER

Una tarde llegué puntualmente a una cita en una editorial para comentar un manuscrito. «Tardaré sólo unos minutos», dijo la editora. «Estoy hablando con mi hija.» Me senté en el sofá del salón. Había una gran mesa de reuniones con la foto de una preciosa niña rubita que aparentaba unos once años. Tan pronto como me senté, empezaron a hablar. La niña parecía muy excitada, y la madre la escuchaba. Pero no la escuchaba sin más. Era un tipo de escucha que no tienes la oportunidad de ver todos los días.

Me sorprendió la expresión en el rostro de aquella mujer, concentrada en lo que estaba diciendo su hija. Me di cuenta de que estaba intentando visualizar los sentimientos de la pequeña mientras hablaba. De haber interpretado las señales no verbales, me habrían dicho: «Dime lo que quieres y te seguiré queriendo muchísimo. No hay nada más importante para mí que oírte hablar».

Una de las cosas que he aprendido como resultado de mis observaciones es que escuchar a los niños casi siempre implica dejar de hacer lo que se está haciendo aun en los momentos más inoportunos. Un colega está esperando, hay que hacer la cena o simplemente tenemos prisa. Conocí a una madre que aparcó el coche para poder prestar toda su atención a su hijo mientras éste le comentaba un problema escolar, y así estuvo, sentada y escuchando, hasta que terminó. Desde luego, no lo hacía siempre que iba a buscarlo, pero el mero hecho de detener el coche aunque sólo fuera una vez demostró su voluntad de escuchar.

Cuando estoy hablando en una clase, a menudo se producen interrupciones: una llamada telefónica, alguien que tiene algo que preguntar. Cualquiera de estas cosas podría hacerme olvidar a los niños que tengo delante. Dado que el entorno está plagado de distracciones, tengo que concentrarme en lo que estoy haciendo para no perder el norte y demostrarles que los tengo presentes en todo momento.

Comprendí la importancia de prestar una plena atención hace algunos años, cuando vi la película del doctor John Gottman, *The Heart of Parenting*, que relataba casos de padres que ignoraban los sentimientos de sus hijos. La película versaba sobre sus investigaciones en la Universidad de Washington, que demuestran que prestar atención y valorar los sentimientos de los niños reduce la cantidad de hormonas del estrés en la sangre. Mientras veía el film, descubrí que lo que estaba contemplando en realidad era una nueva forma de arte, no una película; el arte de las relaciones paternofiliales.

Me sentí igual cuando, en una ocasión, comenté a una joven madre en Nueva York la maravillosa manera en la que se relacionaba con sus dos hijos pequeños durante mi visita.

«¿Cómo aprendiste a prestarles una atención tan especial cuando les hablas», pregunté. Su respuesta me sorprendió.

«He leído un libro sobre cómo amarlos», dijo con franqueza. «Y ¿por qué no? Todas las revistas te cuentan hoy en día lo que tienes que hacer para entablar una relación de pareja y cosas por el estilo. De manera que decidí aprender a demostrar a mis hijos cuánto los quería.»

¿Cómo pueden los padres hacer un alto en el camino y concentrarse en las solicitudes de un niño a una edad en la que todo cambia de un día para otro y cuyas ideas se dispersan en infinitas direcciones?

Es bueno recordar que sólo podemos marcar la diferencia en la vida de un niño compartiendo plenamente el momento presente. Tenemos la capacidad de alimentar la creencia del pequeño de que merece la pena ser escuchado. Si lo dejamos todo para escucharlo, aprenderá a escucharse a sí mismo y a confiar más en su propio conocimiento.

Te propongo un juego de rol con tu pareja o un amigo. Escúchalo con toda tu atención durante cinco minutos, sin preguntas ni interrupciones, mientras habla del tema que prefiera. Luego intercambiad los papeles y habla tú.

Analiza los efectos
de las actividades

Nos preocupamos de lo que serán los niños en el futuro,
pero nos olvidamos de que son alguien en el presente.

STACIA TAUSCHER

Carol, la madre de Phillip, me sorprendió cuando me dijo que
su hijo no quería empezar primaria. En preescolar había sido un
alumno modélico e interesado por las actividades escolares.
Pero ahora lloraba cada mañana, los profesores decían que no
prestaba atención y en casa se mostraba malhumorado. Un día
estalló en una rabieta tan estruendosa que Carol lo castigó sin
televisión y videojuegos durante tres semanas. Más tarde, pensó
que su reacción había sido algo exagerada, pero aun así decidió
mantenerse en sus trece. Preocupada por la posibilidad de que se
sintiera demasiado cansado, lo sacó del equipo de baloncesto y
limitó sus citas lúdicas los fines de semana. Y, por si fuera poco,
también decidió acostarlo una hora antes cada noche.

Transcurrida una semana, los resultados de aquellos cambios
fueron espectaculares. De pronto, a Phillip le gustaba de nuevo la
escuela, los maestros decían que su nivel de concentración era excelente y que se pasaba la hora del recreo trepando a los árboles.
Carol se dio cuenta de que su hijo se estaba recuperando a medida que fue reduciendo el grado de estimulación en su vida. Ahora, tras un paréntesis de tres semanas sin televisión ni consolas, se
ha propuesto restringir estas actividades a dos horas semanales.

Phillip no era consciente de que estaba agotado de intentar
aprender a leer y memorizar al mismo tiempo las reglas de juego del baloncesto, ni tampoco de que necesitaba actividades más

reposadas que la estimulación de la televisión y los videojuegos. Al cortar por lo sano, había recuperado el equilibrio. Las actividades extraescolares no eran pues precisamente lo que necesitaba durante aquel año de aprendizaje tan crucial.

Por otro lado, en otras etapas del desarrollo, la actividad física puede ayudar a un niño a aliviar las tensiones. Sheila me comentó que a su hija Megan, una adolescente, el ballet, incluso tomando clases cinco o seis veces por semana, la había ayudado a superar la confusión y agitación propias de su edad. «Nunca quiso ser bailarina, pero le encantaban las clases, y al salir era como si todas las preocupaciones del día hubieran desaparecido.» Cuando Megan estaba en la escuela elemental, muchos de sus amigos realizaban múltiples actividades extraescolares, pero Sheila sabía que más actividad no equivalía a mejor calidad de vida, animando a su hija a dedicarse en cuerpo y alma a la que tanto le apasionaba. El ballet ha contribuido muy positivamente al desarrollo de Megan, pues ha podido disfrutar del proceso de bailar sin pensar en un futuro como bailarina.

Admiro a los padres que, como Carol y Sheila, advierten los efectos de las actividades en la vida de sus hijos en el presente, en lugar de pensar en las actividades extraescolares como algo importante para desarrollar su competitividad en el futuro. Los niños carecen de la sofisticación o juicio para decir «Esto me revitaliza» o «Esto me agota». Una de las mejores cosas que podemos hacer es analizar qué actividades contribuyen al equilibrio y disfrute en la vida de nuestros hijos. Observarlos nos ayuda a permanecer en contacto con sus necesidades mientras maduran y aprenden a tomar sus propias decisiones al respecto.

¿Decidieron tus padres las actividades que debías realizar cuando eras niño o respetaron tus preferencias? ¿Necesitabas más actividades o te sentías sobrecargado por un exceso en las mismas?

Sintonízalos con su voz interior

El mundo exterior se empeña en que el niño se vuelva sordo al sonido de su propia campana de alerta.

ADELE FABER Y ELAINE MAZLISH

Desde la época en la que Allie estaba en preescolar, ella y su madre, Karen, siempre se detenían para observar a los perros en la calle. Cuando veían un perro en el parque, hablaban de cómo sería su vida a tenor de su aspecto. ¿De qué raza será? ¿Qué le gustará comer? Tras observarlo durante un rato, llegaba la pregunta más importante: «¿Qué sentiríamos si viviéramos con él? ¿Sería amistoso o tal vez peligroso?».

Karen dice que deseaba enseñar a su hija a hacer un alto en el camino y sintonizar con lo que le decía su voz interior acerca de lo que supondría comprometerse con el cuidado de un animal. «A las dos nos gustaba el juego de acceder a nuestros sentimientos y compartir nuestras experiencias. Era una forma segura de hablar de los peligros.» Ahora que Allie tiene siete años, Karen tiene un nuevo enfoque de sus observaciones: tender un puente entre los perros y las personas. Quiere que su hija preste atención a sus sentimientos en relación con la gente, niños y adultos por un igual. Como parte de este proceso, asistieron a un cursillo acerca de cómo evitar amenazas tales como el secuestro o los abusos deshonestos. Aprendieron a advertir el riesgo potencial permaneciendo alerta.

Recientemente, dos hombres en un coche se detuvieron frente a la casa de Karen y le preguntaron por una dirección. Madre e hija estaban en el jardín. Al marcharse, Karen preguntó a Allie si se había dado cuenta de la distancia a la que había permanecido del vehículo, manteniendo una zona de seguridad. También comentaron la impresión que les habían causado. Este tipo de análisis personal tiene mucho más significado para un niño que decir: «No hables con desconocidos».

Sin embargo, sus charlas no se han limitado a amenazas potenciales, sino que también hablan de cómo hay que afrontar determinadas situaciones de interrelación con otras personas.

Enseñar a un niño a observar a los demás y a prestar atención a sus propios sentimientos es esencial, pues le permite empezar a valorar situaciones por sí mismo. Tal vez lleve más tiempo, pero merece la pena. No hace mucho, en una excursión a la nieve, Allie dijo que no quería tomar clases de esquí a pesar de que otros niños se mostraban entusiasmados ante la posibilidad de realizar una nueva actividad. Es fácil para un padre o una madre presionar a un pequeño para que venza su aprensión, pensando que nadie mejor que ellos saben lo que le conviene y que al final se lo pasará en grande. Pero los padres de Allie desean que su hija comprenda que sintonizar con su voz interior es el fundamento de una decisión acertada ahora y en el futuro.

Karen invitó a Allie a subir a un trineo con ella, pero primero la niña quería ver en qué consistía aquella actividad antes de aceptar. Luego accedió. Estuvo una hora observando antes de decidirse, pero Karen es consciente de que el tiempo extra que le había concedido para familiarizarse con la actividad redundaría en una mayor confianza y seguridad en sí misma.

En su extraordinario libro *Inteligencia emocional*, Daniel Goleman describe este proceso intuitivo como un ejercicio que consiste en advertir las reacciones de los demás, tomar conciencia de nuestros sentimientos respecto a ellas y aprender a interactuar con otros de una forma eficaz. Observar a nuestros semejantes implica evaluar el proceso de hacer un alto en el camino, observar y reflexionar antes de precipitarse. Allie se ha convertido en una niña de siete años emocionalmente inteligente.

Hablar de lo que les «dicen» los sentimientos acerca de diferentes situaciones es una fuente inagotable de conversaciones entre madre e hija, lo cual, entre otras cosas, ha permitido a Karen seguir de cerca los cambios en la vida de Allie y en su ser interior. Ahora que la niña tiene siete años, han alcanzado un grado de intimidad que les permite hablar y hablar cada vez más.

Aun así, en ocasiones, ni siquiera con confianza aceptan los niños compartir sus sentimientos y preocupaciones. A veces, las emociones son demasiado intensas o van acompañadas de un sentimiento de vergüenza. A medida que van creciendo y entablan relaciones estrechas con sus iguales, hablar con los padres acerca de los amigos puede parecer una traición. De ahí que aquéllos necesiten aprender a evaluar el bienestar de sus hijos desde nuevas perspectivas, tales como leyendo entre líneas en la comunicación verbal y no verbal.

Imagina a tu hijo en una situación comprometida cuando no estás con él. ¿Cómo desearías que la conexión entre su voz interior y sus sentimientos le resultara de ayuda? ¿Cómo puedes prepararlo para potenciar sus recursos internos?

Leer entre líneas

Lee a tu hijo. No hay mejor lectura.

SUSAN ISAACS Y MARTI KELLER

La primera señal de que algo andaba mal en el mundo de Katie apareció en forma de trastorno de salud. Aunque nunca había sufrido asma, a los nueve años empezó a decir a sus padres que no podía respirar. Su madre, Abbe, pensó que su hija exageraba y que en realidad se sentía algo estresada, a pesar de que ella aseguraba que todo marchaba bien. El pediatra también lo relacionaba con un problema de ansiedad y solía preguntarle por sus relaciones con sus compañeros en la escuela. La respuesta de la niña era invariable: todo está bien, aunque el modo en el que bajaba la mirada al hablar hizo que Abbe decidiera ir un poco más allá.

Aprovechando una excursión escolar, Abbe advirtió que algo había ido mal. Sus mejores amigas no le hablaron durante todo el día, e incluso la dejaron a un lado en una actividad de grupo. Muy preocupada, Abbe preguntó a su hija por qué se habían portado de una forma tan poco amistosa con ellas. Katie admitió con tristeza que hacía ya algunas semanas que no querían jugar con ella. No sabía cuál era la causa. La insultaban y la dejaban sola. Su madre no sabía qué hacer; habían sido amigas durante muchos años. Le dijo a la niña que comprendía sus sentimientos. Abbe se sentía muy triste, y su marido muy enojado, fuera de sí. Querían encontrar la forma de ayudarla.

Poco después vio a Rachel Simmons, autora de *Odd Girl Out: The Hidden Culture of Aggression in Girls*, en *The Oprah Winfrey Show*, en televisión. A lo largo de sus investigaciones,

Simmons había descubierto que a menudo el miedo y los celos entre las amigas íntimas conducían a una repentina actividad de aislamiento, rechazo e insultos, y dado que las niñas parecían congeniar bien entre ellas, este comportamiento solía pasar desapercibido a los ojos de los profesores.

Tras haber oído hablar del *bullying*, el primer impulso de Abbe, muy disgustada, fue llamar a los padres de aquellas niñas. Sin embargo, después de hablar con una especialista en relaciones sociales infantiles, decidió reprimir sus deseos. Siguiendo el consejo de la terapeuta, ayudó a Katie a pensar en formas de superar tan desagradable experiencia y potenciar la seguridad en sí misma.

También habló con el claustro de profesores, que como sospechaba, desconocían lo que estaba ocurriendo. Uno de los maestros habló a las niñas en clase, expresándoles cuán disgustado se sentía por lo mal que se estaban portando entre ellas. Al día siguiente, una de las amigas de Katie le envió una carta pidiéndole perdón y preguntándole si podía jugar con ella. Poco a poco, Katie fue recuperando sus pasadas relaciones de amistad, aunque Abbe continúa observando al comportamiento de su hija para asegurarse de que todo marcha bien.

Imagina cuál habría sido el sufrimiento de Katie si su madre no hubiera prestado atención a sus sospechas de que el malestar de su hija era emocional. Con frecuencia, las crisis interiores de los niños se manifiestan físicamente. Empiezan a mojarse los pantalones, despertarse por la noche o sufrir dolores de estómago. A menudo están cansados o pierden los nervios a la menor insinuación. Es importante que los padres no reaccionen negativamente ante estos síntomas, sino que investiguen las posibles causas de estrés reflexionando acerca de los cambios operados en la vida del niño. Aunque sean incapaces de identificar el problema, por lo menos pueden adoptar una actitud empática y comprensiva.

¿Por qué los niños no acuden siempre a sus padres cuando están disgustados o tienen algún problema? Es posible que no sepan cómo expresar lo que sienten. Incluso podrían tener miedo de su reacción o de empeorar aún más si cabe las cosas.

Abbe y yo llegamos a la conclusión de que había sido capaz de ayudar a Katie porque había «leído entre líneas» en el comportamiento de la niña y profundizado más allá de sus explicaciones. Su capacidad de evaluar lo que estaba sucediendo e informar a los demás sin extralimitarse en sus reacciones permitió a Katie expresar mejor su angustia. A cualquier edad, independientemente de cuál sea el problema (rabietas, pesadillas o incluso alcohol y drogas), advertir las reacciones del niño y dejarse llevar por la intuición es fundamental.

Uno de los instrumentos más valiosos para adivinar lo que realmente le está ocurriendo al pequeño es echar la vista atrás y pensar en las dificultades a los que tuvimos que enfrentarnos a su edad.

¿Ocultaste alguna vez tus problemas a tus padres? ¿Qué habrían podido hacer para ayudarte?

Evoca tu infancia

La paternidad nos obliga a conocernos mejor de lo que jamás habríamos imaginado que podríamos haber llegado a conocernos, y de múltiples formas [...].

FRED ROGERS

Cuando mi hijo Matt tenía catorce años, se enamoró de Lana, una encantadora *cheerleader*. Después de varios meses de constantes visitas, parecía formar parte de la familia.

A Matt ya le habían gustado otras chicas antes, pero sus relaciones habían sido invariablemente cortas. Hablaba abiertamente de Lana, insinuando incluso que tal vez algún día podrían llegar a casarse. Aquello me hizo evocar una relación sentimental de adolescente con un vecino noruego alto y de muy buen ver. Cuando teníamos catorce años también empezamos a salir con regularidad y a hablar de matrimonio. Mi padre estaba preocupado, pero yo insistía en que aquella relación me hacía muy feliz.

Ahora, sin embargo, echando la vista atrás, me doy cuenta de que mi resistencia a prestar oídos a los consejos de mi padre formaban parte de mi rebelión adolescente. En el fondo, me sentía demasiado joven para enfrentarme a las presiones derivadas de tener novio. Echaba de menos los encuentros con mis amigas y hablar de chicos. También sentía nostalgia del mundo de juegos que, según parecía, había quedado atrás tan repentinamente. Ahora llevaba la cazadora de mi novio y evitaba las chiquilladas propias de la infancia.

Observando a Matt podía comprender lo que era en realidad un muchacho de catorce años y cuánto «niño» se esconde aún

en su interior. Eric Erikson, el prestigioso psicólogo que descri-
bió las etapas en el ciclo de la vida, se refería a la adolescencia
como un período de formación de la identidad, después del cual
llegaba el de la intimidad. En otras palabras, debemos saber
quiénes somos antes de iniciar una relación íntima. Al implicarse en una relación seria a los catorce, mi hijo estaba interrum-
piendo el proceso de autodefinición. Pero sólo conseguí darme
cuenta de ello tras haber reflexionado sobre mi propio pasado.

Una noche, mientras mi hijo y yo estábamos fregando los
cacharros, le pregunté si en alguna ocasión se había sentido sobrecargado o abrumado por el peso de las circunstancias. Pro-
testó, reiterando lo feliz que le hacía Lana y cuánto la quería. Le
aseguré que lo comprendía, y recordando cómo también yo
protestaba airadamente cuando me hablaba mi padre, le comenté las dificultades que había experimentado yo a su edad. Me
preguntaba si también él se sentía así. De pronto, se echó a llorar. Hablamos de la posibilidad de vivir una experiencia sentimental desde dos perspectivas diferentes: amando a Lana y sin-
tiéndose agobiado.

Poco después, Matt rompió con Lana y reanudó de nuevo
su relación con los amigos de la infancia. Parecía rejuvenecido y
volvía a disfrutar con cosas tan sencillas como montar en bicicleta. Personalmente, echaba de menos a Lana; también yo había aprendido a quererla. Pero sucedió que, por azares del des-
tino, Matt y Lana coincidieron en una calle de San Francisco
muchos años más tarde y volvieron a salir juntos. Hoy están felizmente casados y tienen dos hijos. Tuvieron tiempo para desarrollar su identidad y pudieron gozar al máximo al conocerse
de nuevo en su nueva y apasionante experiencia íntima.

Recordar mi experiencia me permitió reflexionar con ente-
reza. Tuve suerte, pues lo cierto es que en ocasiones las experiencias infantiles son difíciles de recordar. Prestar atención a los

sentimientos, desde los primeros años hasta los veinte, es uno de los instrumentos más valiosos para comprender a los hijos.

En su libro *Recovery of Your Inner Child*, Lucia Capacchione ofrece un método revolucionario para sintonizar con las emociones de nuestra infancia que ha demostrado su eficacia en todos los ámbitos de la vida. Sugiere escribir una pregunta con la mano dominante y luego responderla con la otra mano. Cuando lo probé y pregunté a la niña de catorce años que habitaba en mí lo que necesitaba, la respuesta de la mano no dominante no tardó en llegar: «Comprensión». Doy las gracias por haber podido revivir la vorágine en mi corazón durante la adolescencia y que me ha permitido empatizar con mi hijo y saber cuáles son sus necesidades. Las reflexiones acerca de la vida y el sentido de expansión espiritual en mis relaciones con los niños han sido cruciales.

Escribe una pregunta acerca de tus sentimientos en una edad determinada y respóndela con la mano no dominante.

Oye su espíritu

La abuela solía decir que la mente espiritual era como cualquier otro músculo. Si lo usabas, se hacía más grande y más fuerte. También decía que el único modo de conseguirlo era utilizarlo para comprender [...], y cuanto más intentabas comprender, más crecía.

FORREST CARTER

Un día, cuando mi hija Gabrielle tenía cinco años, llevaba a varios niños a casa desde la escuela en nuestro monovolumen. Un niño de su clase llamado Willy parecía triste por algo que había sucedido en la escuela. Finalmente exclamó: «Me odio». Hubo un instante de silencio, y luego mi hija se volvió hacia él y le dijo enojada: «Nunca digas que te odias, Willy. Disgusta a Dios». Hizo una pausa como si intentara explicar algo muy difícil. «Quiere que nos amemos a nosotros mismos porque vive en nuestro interior. Si dices que te odias, estás odiando a Dios. Procura amarte.» Willy quedó asombrado y no abrió la boca durante el resto del trayecto. Yo también.

Más tarde me di cuenta de que había olvidado preguntarle por qué estaba triste. Me habían sorprendido demasiado las convicciones de mi hija acerca de lo que quiere Dios. ¿Cuál habría sido su origen? De mí no, desde luego. Habíamos hablado de Dios, pero ni yo misma sabía cómo amarme a mí misma, y mucho menos se me hubiera ocurrido relacionar a Dios con los sentimientos de los demás. ¿Por qué hablaba mi hijita de sólo cinco años de nuestro deber sagrado de no ofender a Dios detestando nuestra propia existencia? Era evidente que Gabrielle había estado intentando comprender algunas verdades espirituales y que sus conclusiones no eran el resultado de algo que hubiera aprendido en casa o en la escuela.

Las verdades espirituales no tienen por qué hacer referencia a Dios. Aún recuerdo el día en que pregunté a mi hijo de tres años por qué lloraba. Él se volvió y habló con convicción. «Ya sabes que es bueno llorar, mamá», dijo. «No hay nada de malo en ello. Llorar puede ser bueno.» Una vez más, reconociendo sus palabras como una verdad indiscutible, cambié mi perspectiva y le pedí excusas por mi impaciencia.

He hablado con innumerables padres acerca de las cosas increíblemente sabias que dicen sus hijos y de cómo reaccionan. «Hay un viejo erudito dentro de Sam», me dijo una madre. «Posee ese profundo conocimiento que estalla de vez en cuando.» Cada vez es mayor el número de padres con los que suelo hablar de esta cuestión. Creen que aunque sus hijos manifiestan todos los rasgos característicos de un niño de tres, seis u ocho años, también tienen una voz interior que parece atemporal. Debemos estimular sus esfuerzos por descubrir los secretos de la vida. Un padre dijo: «Mi padre aún recuerda las cosas tan sensatas que decía yo de niño. Esta parte de nosotros pasa inadvertida si no le prestamos atención».

Pero ¿cómo se puede potenciar el conocimiento espiritual de los niños? Los medios de comunicación se dirigen al público infantil como ávidos consumidores. La mayoría de los libros sobre educación infantil pretenden persuadirnos de que lo que conviene desarrollar es el cociente intelectual, ayudarlos a hacer más amigos y convertirlos en excelentes deportistas o virtuosos de la música. Nuestra sociedad tiende a ignorar el espíritu de nuestros hijos, a menos que intentemos guiarlos hacia lo que deberían creer. No hace falta creer en Dios para valorar el desarrollo de una perspectiva global acerca del sentido de la vida. Los padres de hoy son más propensos a escuchar los pensamientos de sus hijos y a entablar conversaciones bidireccionales sobre los aspectos más profundos de la misma.

Recientemente, Araceli, de cuatro años, hizo un dibujo de un precioso arco iris y dijo: «Éste es mi ángel guardián. Está conmigo a todas horas». Cuando se lo conté a Aida, su madre, dijo que su hija hablaba muy a menudo de aquel ángel a la hora de acostarse. Me gusta este respeto de Aida por los intereses espirituales de su hija y las charlas acerca de los misterios visibles e invisibles de la vida. Los padres como Aida creen que escuchar las percepciones espirituales de sus hijos en cada etapa de su desarrollo ayuda a crecer la «mente espiritual» que se menciona en la cita de este capítulo. Cuando prestamos atención a este crecimiento y hablamos de ello como parte de la vida familiar, estamos fortaleciendo nuestras habilidades de conocimiento mutuo.

¿Qué lugares, actividades y aspectos de la vida te parecían mágicos de niño? ¿Qué creencias acerca de los misterios de la vida te hacían meditar?

CAPÍTULO 8

UNA CUESTIÓN FAMILIAR

Estimula la cooperación

Definición: cooperar es trabajar con otro o asociarse con otro para el beneficio mutuo.

A mi madre le apasiona hacer punto. En ocasiones incluso le han comprado sus diseños, aunque las más de las veces lo hace simplemente para satisfacer su propia creatividad. De niña, solía ayudarla por la tarde, devanando ovillos de hilo. Requería mucha concentración, y ver cómo aquellas bolas de atractivos colores iban aumentando de volumen me hacía sentir feliz y satisfecha de mí misma. También me gustaba trabajar con mi padre en proyectos tales como construir un muro en el jardín. Había algo en el hecho de colaborar con él que me fascinaba.

Como revela la definición que encabeza este capítulo, la cooperación se produce cuando dos personas trabajan interdependientemente en la consecución de un objetivo común, algo muy diferente a afrontar un proyecto uno mismo. De niña me resistía a lavar los cacharros o limpiar mi dormitorio, y solía decir que no tenía tiempo para semejantes menesteres. Fue así como papá, en tono burlón, siempre me decía que sería abogada. Aun así, disfrutaba mucho participando en los proyectos de mis padres.

Nunca reflexioné demasiado acerca de mi fascinación por aquellas actividades cooperativas hasta algunos años más tarde, cuando participé varios años en las reuniones de un grupo de mujeres. Una de ellas consistía en hacer dibujos de actividades infantiles y compartirlas. Cuando nos pidieron que representáramos una actividad favorita, quedé asombrada al descubrir que la mayoría de nosotras habíamos optado por un proyecto con papá o mamá, como hornear galletas o la jardinería.

Mi marido dice que le gustaba encerar el coche con su padre. «Me parecía una actividad de adultos.» Creo que una buena parte del placer de compartir un trabajo reside en que el adulto considera al niño competente para colaborar y desea incluirlo en la actividad.

Aprender a trabajar en equipo es una habilidad adquirida necesaria durante toda la vida. En el pasado, los niños aprendían a cooperar a través de una miríada de actividades en las que las personas, tanto adultos como niños, trabajaban juntas buscando moras, cosiendo camisas, reparando el tejado, pintando la casa, confeccionando adornos o cocinando una tarta. En la actualidad, a causa de la presión que supone tener que hacerlo todo apresuradamente, tenemos que recordar la necesidad de incluirlos en nuestras tareas cotidianas. Como dijo una madre: «Me esfuerzo a incluir a mi hijo en mi trabajo, pero tengo que planificarlo de antemano, pues tardará tres veces más de lo que tardaría yo en hacerlo».

Nuestra vida está tan recargada de actividades que algunos estudios han concluido que las habilidades de cooperación de los niños están en peligro de extinción. Durante algunos años trabajé de consultora en el Child Development Project, con sede, por aquel entonces, en San Ramón, California, y que se dedica a buscar nuevas formas con las que estimular en los niños habilidades sociales tales como la cooperación. Las investigaciones han demostrado que una de las mejores cosas que pueden hacer los padres es estimular la participación de sus hijos en actividades como pelar zanahorias, doblar la ropa o limpiar la cocina. Cuanto más se impliquen en actividades de cooperación, más motivados se sentirán para ayudar y trabajar con otros en armonía.

Esto lo experimenté yo misma. Cuando mis hijos tenían doce, diez y cuatro años, después de cenar nos ocupábamos de los quehaceres domésticos. Las discusiones eran muy acaloradas sobre quién haría qué. Controlar si realmente cumplían con sus respectivas obligaciones me suponía un trabajo adicional, de manera que probé algo nuevo. Una amiga me sugirió instituir una «hora de trabajo familiar». Durante una hora después de la cena trabajábamos, generalmente por parejas o en grupos de tres, en las tareas que había que realizar. Al principio se resistieron, pero poco después empezaron a generar ideas para nuevos proyectos que podían hacer. Conversábamos animosamente durante el trabajo. Asimismo, mis hijos se volvieron cada vez más eficaces en el trabajo. Al volver la vista atrás, nuestros proyectos conjuntos forman parte de mis recuerdos favoritos de aquella época, y aún hoy, ya adultos, me gusta colaborar con ellos. La satisfacción ha sido sin duda alguna duradera.

Es reconfortante pensar que cuando cocinamos con un niño o limpiamos la plata no sólo estamos estrechando los vínculos afectivos, sino también confeccionando un modelo para una cooperación satisfactoria. Cuando conseguimos desembarazarnos de las premuras de tiempo, ya sea trabajando o jugando, experimentamos lo que los psicólogos llaman «flujo», o capacidad para perdernos en nuestras acciones. Haciendo así las cosas, en el futuro nuestros hijos serán capaces de trasladar esa armonía, habilidad y capacidad para fluir en la actividad a sus propias familias.

Haz un dibujo de una actividad que te gustaba hacer con un adulto cuando eras pequeño o que te encanta hacer ahora con tu hijo.

Un picnic merece la pena

Aprovecha las tardes; saca el máximo partido de tu tiempo libre.

ANNIE DILLARD

Una de mis peluqueras, Jeffrey, inmigró a California procedente de Londres hace quince años, pero aún es incapaz de comprender nuestro enfoque acerca de la relajación. «En Inglaterra, cuando hago planes para hacer algo por la tarde, como un picnic, sé cuándo va a empezar, pero no cuándo va a terminar. Salimos y dejamos que todo transcurra con normalidad y que se prolongue lo máximo posible. En Estados Unidos, la gente desglosa los períodos de relajación en segmentos de tiempo. Mis amigos planean jugar al tenis con una persona por la mañana, almorzar con otra al mediodía, trabajar un rato en el jardín por la tarde y luego, para terminar el día, una nueva cita para la cena. Así no puedo disfrutar de la vida.»

La descripción de Jeffrey acerca de los placeres derivados de no programar las cosas me recuerda la forma en la que me divertía de niña. ¿Te acuerdas de cuando jugabas en el patio en verano, después de cenar, deseando que la luz del atardecer durara siempre? Cuando mis amigos y yo planeábamos ir a nadar, no calculábamos el tiempo que nos llevaría meter el bañador y la toalla en la mochila, ponernos en camino, nadar, secarnos y regresar a casa para hacer otras cosas. Nos limitábamos a experimentar el gozo del agua y la compañía mutua. Y cuando los adultos venían con nosotros, era incluso mejor. Algunos de mis recuerdos más felices de la infancia son las largas tardes nadando con mi padre, ajeno a las responsabilidades, y la sensación de atemporalidad.

¿En qué momento empezamos a planificar el ocio en compartimientos estancos? Nuestra cultura nos enseña a calcular el tiempo: una hora con un amigo, una hora en el parque con los hijos después del trabajo, etc. Para un padre que trabaja todo el día fuera de casa, tener la oportunidad de pasar una hora en el parque es muy recomendable, pero tener los ojos invariablemente puestos en el reloj menoscaba el auténtico valor de la experiencia. Cronometrar el tiempo mantiene una parte de nosotros ausente de la actividad que estamos realizando. La relajación que tanto ansiamos en la sociedad moderna sólo se consigue con una completa absorción en el disfrute de lo que se está haciendo y se pierde la conciencia del tiempo.

En un caluroso día de vacaciones del pasado mes de agosto, mi hijo y yo planeamos llevar a sus hijos a la piscina. Tardamos mucho en prepararlo todo; un pequeñín de dos años y otro de ocho meses se mojan constantemente, se deshidratan si están demasiado rato al sol, tienen que beber y comer. Cuando por fin llegamos a la piscina, nos dimos cuenta de que sólo disponíamos de muy poco tiempo para nadar y charlar. Sin embargo, cuando estábamos allí con ellos, chapoteando en el agua, algo mágico ocurrió. No queríamos marcharnos. El programa original preveía estar de vuelta en casa «a tiempo» para cambiarles los pañales. Pero decidimos posponerlo. Pasó la tarde y luego, una vez en su casa, aprovechamos para cenar juntos. A medida que iba pasando el tiempo, empecé a sentirme como aquella niña que no quería que oscureciera. Y lo más importante era que, por su expresión, mi hijo y mi nieto se sentían igual.

En el año 2002, los Clubes de Chicos y Chicas de América, en Atlanta, publicaron un estudio basado en entrevistas a padres e hijos acerca de lo que creían que era la calidad de vida. No es de extrañar que los dos grupos difirieran en sus puntos de vista. Compartir una actividad no era suficiente para los niños; deseaban que los adultos se divirtieran realizándola. El tiempo que pasas disfrutando de algo merece siempre la pena. Cuando los padres se implican en el juego, se unen a sus hijos y participan con ellos de la alegría de la vida, es decir, lo que los franceses llaman *joie de vivre*. Aunque sólo sean veinte minutos, durante este período de tiempo nos olvidamos de todo lo demás.

Si lo tienes en cuenta, tu casa se convertirá en un entorno ideal para tus hijos y tus amigos.

Haz una lista de algunas experiencias gozosas de la infancia cuando no querías que terminara el día. Cuélgala en el frigorífico para recordar que tú y tu familia necesitáis «perderos» en momentos divertidos siempre que sea posible.

Puertas abiertas

Sé generoso y hospitalario; ahí reside la esperanza de América.

CALVIN COOLIDGE

La noche en la que Rob y Loel invitaron a su casa al equipo de fútbol del instituto para disfrutar de unos «espaguetis antes del gran partido», los muchachos llegaron cubiertos de barro. Había llovido mucho. Loel sacó todas las toallas que había en casa para que se secaran. Por fin, los chicos salieron a la terraza cubierta para disfrutar de una asombrosa cantidad de perritos calientes y una tonelada de espaguetis. Tras haberlo devorado todo con avidez, se reunieron para tener su charla habitual sobre el partido de la mañana siguiente. Entretanto, Loel escuchó unos arañazos en la puerta principal. La abrió y vio a su perro mirándola con una expresión de innegable dolor. Al principio, creyó que se le había encogido la cabeza, pero luego se dio cuenta de que tenía el estómago cuatro veces más grande de lo normal. «Era como si alguien le hubiera insuflado aire con una bomba de bicicleta. No tardé en descubrir que había estado hurgando en el cubo de la basura y que se había comido todos los restos de perrito caliente y pasta.» Lo subió al coche y lo llevó al veterinario.

Aunque le esperaba una dura sesión de limpieza en casa, no había toallas en el baño y que la tormenta había averiado los semáforos, había valido la pena. Como dijo uno de los muchachos al marcharse: «Me gustaría que mi casa fuera como ésta cuando sea mayor».

Loel se emocionó, pues sabía que se estaba refiriendo a un lugar relajado para los niños. Ella y Rob habían trabajado con ahínco para lograr que su hogar fuera un lugar ideal para que se reunieran sus hijos y sus amigos.

¿Qué hace de un lugar algo apetecible para volver? Dejar que los niños se sientan a gusto, dicen Rob y Loel. Loel aún recuerda el día en que regresó a casa y encontró a su marido jugando a hockey con los niños en el parquet. «Entonces me di cuenta de que podríamos tener una bonita casa, pero que nunca sería perfecta», dice. «Una alternativa era disponer de un espacio especial para que los niños pudieran jugar con sus amigos. Primero transformamos el garaje en un cuarto infantil, y luego construimos otra habitación exterior. Es triangular y les encanta.» También admite que la factura de la compra de comida suele ser aterradora desde que vienen a cenar a casa tan a menudo.

En la ciudad se pueden hacer muy pocas cosas con los niños. La actividad es frenética. Al igual que Loel y Rob, el padre de Daemon, Steve, consideraba de máxima prioridad que los amigos de su hija vinieran a casa. Daemon iba al instituto, y sus amigos eran de razas y estatus sociales diferentes. Cuando los chicos se reunían en su casa, a menudo Steve asumía el rol de mediador en las disputas que se producían durante el día. Según dice, los animaba a comunicarse abiertamente y les ofrecía un espacio estimulante, cómodo y sin prejuicios en el que desenvolverse. Con el tiempo, la casa de Steve se convirtió en un puerto en la tormenta para los amigos de su hijo, encarnando, en sus propias palabras, la figura de «padre, tío, hermano mayor y maestro».

Si queremos influir en los niños, debemos estar a su lado y prestar atención a lo que acontece en su vida. Abrir las puertas de la casa significa más trabajo, pero muchos padres, entre los que me incluyo, son conscientes de los extraordinarios beneficios derivados de ofrecer un lugar seguro y vigilado a los más jóvenes. Cuando prestamos oídos a sus intereses, también tenemos la oportunidad de compartir nuestros propios valores y las actividades que más nos gustan, un proceso que fortalece nuestros lazos afectivos con ellos.

¿Había alguna otra persona, además de tus padres, con la que estuvieras a gusto a su lado cuando eras pequeño? ¿En qué te ayudaba su compañía? Como adolescente, ¿qué te parecía el hecho de poder invitar a tus amigos a tu casa?

Comparte tus aficiones

> Imagina cuán armonioso podría ser el mundo si cada persona, joven o adulta, compartiera un poco de lo que le gusta hacer.
>
> QUINCY JONES

Diane Frolov y Andy Schneider, escritores galardonados con un premio Emmy y productores de programas de televisión tan famosos como *Northern Exposure, Alien Nation* y *Dangerous Minds*, han compartido sus aficiones con su hijo Joseph desde su infancia.

De niño lo llevaban a sus clases de baile. Joseph jugaba con aviones y observaba a las parejas practicando el foxtrot y el vals. A los catorce años, empezó a tomar lecciones en la misma clase que sus padres. Tenía talento. De adolescente, Joseph descubrió que había heredado el entusiasmo de sus padres por los salones de baile y empezó a participar en concursos.

También compartían con él su afición a escribir guiones y el cine. Pasaron varios meses con Joseph durante el rodaje de *Northern Exposure* en entornos naturales del Estado de Washington. Años más tarde, los tres crearon un «club del cine», organizando forums sobre la filmografía de los setenta. Ahora Joseph es profesor de teatro en UCLA y también ha estudiado escritura creativa. El compromiso de Diane y Andy de compartir con él su amor por las artes le ha proporcionado innumerables ejemplos de cómo se puede utilizar el talento y las aficiones con inspiración y júbilo. También ha aprendido a perseverar y no darse por vencido cuando surgen dificultades.

Cuando los padres invitan a sus hijos a compartir sus pasiones, los niños descubren cuán interesante y exigente puede ser una actividad. Por otro lado, compartir es un proceso bidireccional.

A mi amiga Maggie le encanta la música clásica y la ha escuchado durante años con su hijo Bobby. Cuando un día el muchacho empezó a rastrear el dial en busca de *heavy metal* y más tarde rap, aceptó compartir su afición con él.

Maggie dice que ambos se sentían intrigados por las raíces de la música rap y descubrió que algunos de los artistas tenían un talento muy especial. En ocasiones, le gustaban los textos, «salidos del corazón», aunque al mismo tiempo le producían repulsión. Hubiera podido cambiar de programa o seguir el ejemplo de muchos padres, que gritan: «¡Quita esa bazofia!», pero decidió compartir la experiencia con Bobby en condiciones de igualdad.

«¿Te molesta lo que dicen?», preguntaba a menudo, a lo que también a menudo solía responder que sí. Ambos se enzarzaban en charlas abiertas que le permitían disponer de un medio de comunicación acerca de toda clase de problemas que tenía su hijo, algo de lo que hubiera carecido si hubiera rechazado de plano aquella música. Ahora está en la universidad y sus sesiones de audición han continuado. Entretanto, los gustos de Bobby se han ampliado e incluyen múltiples estilos musicales. Incluso toma clases de canto.

En la cita que encabeza este capítulo, Quincy Jones sugiere que si un niño o un adulto hablaran de lo que les apasiona hacer, reinaría una mayor armonía en el mundo. Y creo que tiene razón. Imagina cómo sería la vida si los padres y los hijos decidieran compartir sus aficiones, al igual que países participando en un intercambio cultural. ¡Cuán vital e informada sería nuestra comunicación! Como adultos, sabemos mejor que nadie que aceptar los intereses de nuestros hijos como propios es esencial para el conocimiento mutuo.

Haz una lista de diez cosas que te gustan y de otras diez que le gustan a tu hijo. ¿Las compartís en familia?

TERCERA PARTE

LO MEJOR QUE HACEN LOS PADRES PARA SÍ MISMOS

Ahora examinaremos el rol fundamental de cuidar de nosotros mismos. Con demasiada frecuencia, el mundo asfixia al individuo, y las exigencias de la vida cotidiana lo someten a un desgaste continuado. Los libros de autoayuda describen formas «correctas» en las que deben comportarse los padres, y en sus ejemplos hipotéticos siempre saben cómo deben reaccionar.

Una de las mejores cosas que pueden hacer los padres es evitar compararse a sí mismos con los ideales y considerarse como alumnos de quienes, por encima de todo, están convencidos de que las dificultades en la vida se pueden superar. Aprender nos permite sentirnos humildes, pero no incapaces, abiertos a cambiar, pero no ansiosos ni culpables.

Cuidar de un hijo es la tarea más importante en el mundo, y para estar al quite de las exigencias diarias que comporta, no debemos ignorarnos a nosotros mismos. Somos los únicos capaces de identificar nuestros puntos fuertes y cuidar de nuestra salud. Descansamos poco y no dedicamos el tiempo suficiente a revitalizarnos, a recargarnos de energía. Nadie afrontará nuestro estrés ni mantendrá nuestro estado de ánimo como podemos hacerlo nosotros. Debemos saber lo que necesitaremos un minuto después, o durante el próximo fin de semana. Nadie mejor que nosotros para adivinar cuándo nuestra relación con nuestros hijos parece desequilibrarse y exige consejo.

Cuando aceptamos el reto de ser tolerantes con nosotros mismos y recargar nuestra energía física y espiritual, afrontamos los desafíos de un modo más eficaz y disfrutamos más del presente. Asimismo, ofrecemos a los niños modelos de rol de autoconfianza y cuidado personal.

Cuidar de nosotros es una de las mejores cosas que podemos hacer, ya que la felicidad y productividad de nuestros hijos giran en torno a nuestro bienestar. ¡Sé tú mismo y deja que ellos sean también ellos mismos!

CAPÍTULO 9

CUÍDATE

Busca remansos de paz

Cuando te sientes en paz, su origen está en tu interior. Tú creas la paz.

CHERI HUBER Y JUNE SHIVER

Bonnie apenas podía hablar, estaba tan disgustada... Asomaban las lágrimas a sus ojos y tenía la mano en la boca como reprimiendo un grito. Había sido una de aquellas mañanas. Esperé a que se tranquilizara. «¿Puedo hacer algo por ti?», pregunté.

Inspiró profundamente. «Estos últimos días está siendo horrible llevar a los niños a la escuela. No me hacen el menor caso y acabo gritando y sintiéndome impotente y culpable. A la hora de salir de casa todo son reproches y malhumor. Creo que estoy fracasando como madre.»

De no haber observado en repetidas ocasiones la forma en la que el estrés influye en el pensamiento de un padre, me hubiera asombrado la sentencia de Bonnie. Hace más actividades extraescolares con sus hijos que cualquier otra madre que conozco y siempre se muestra sensible a sus necesidades.

De ahí que no tuviera ni mucho menos la sensación de que estuviera «fracasando» como madre, pero sí en su cuidado personal. En el libro *Time Out for Parents: A Compassionate Approach to Parenting*, Cheri Huber y Melinda Guyol dicen que cuando perdemos el control y gritamos a nuestros hijos, algo en nuestro interior está indicando a voces que nos hemos descuidado. Cuando estamos cansados de dar y de desatender nuestras propias necesidades, es prácticamente imposible pensar de una forma equilibrada. Perdemos las reservas de autocontrol.

Bonnie y yo hablamos de la «autonutrición». Poco después, se tomó un fin de semana libre y regresó con energía renovada. También empezó a trabajar semanalmente como voluntaria en la secretaría de la escuela de sus hijos, una actividad que le gusta muchísimo. Ahora vuelve a ser aquella madre valiente que había conocido.

El tiempo libre es extraordinario para recargar el espíritu, pero aun así, no conforma la panorámica general. Aprender a crear paz en medio de la vorágine es una de las mejores cosas que pueden hacer los padres. Necesitamos realimentarnos interiormente incluso cuando los niños están pidiendo otra galleta o riñen por un tren. Cuando eliminamos los sentimientos de disgusto en lugar de enfrentarnos a ellos, el estallido es más probable. Aprender a «crear paz» aunque sólo sea una vez, rodeados de caos, desarrolla nuestra capacidad de repetirlo.

Las autoras de *Time Out for Parents* recomendaban hacer un alto en el camino y respirar profundamente: «Al respirar, deja que el cuerpo se mueva al compás de la respiración. ¿Dónde está la tensión?... ¿Qué siento?... Vive intensamente el presente». Interiorizar nos permite estar presentes en nosotros mismos y recuperarnos del bombardeo exterior.

¿Cómo tomarnos unas minivacaciones internas mientras el niño está chillando? Podemos sentarnos, cerrar los ojos y decir: «Necesito un minuto de descanso». También me encanta el consejo de Rudolf Dreikurs a los padres en *Children: The Challenge*: Enciérrate en el baño con pestillo y pon la radio. El mero hecho de «desaparecer» durante unos minutos da a entender a los niños que necesitamos un «tiempo muerto».

Otro método que da buenos resultados para alcanzar la paz interior en medio de una crisis consiste en recurrir a la imaginería positiva. Cuando estoy trabajando con un niño que llora y patalea, a menudo me imagino en una isla tropical con una fina arena blanca. Los sentimientos de serenidad afloran de inmediato y nos tranquilizan a ambos.

Cuando tengas la sensación de estar al borde del precipicio como padre o madre, considéralo como una señal de que necesitas cuidar de ti mismo al igual que cuidas de tus hijos cuando están exhaustos. Hacer un *break* es muy positivo tanto para ti como para ellos, ya que si sigues adelante corres el riesgo de agotar todas tus «reservas de "dar"». Convéncete de que la paz interior está sólo a una inspiración profunda de distancia y que siempre tendrás una playa idílica a mano en la que refugiarte. Tras haber gozado de estas vacaciones de fantasía, rememora todas las cosas positivas que haces y obséquiate con un caluroso aplauso.

Haz un dibujo de lo que significa para ti «crear paz» y cuélgalo en un lugar visible.

Aplaude tus propios esfuerzos

A ti te corresponde reconocer y elogiar tus propias
cualidades [...] Cuando hagas algo de lo que estés orgulloso, embelésate con la experiencia, pormenorízala [...].
Cuando las cosas no marchen como sería de desear, te
servirán de referencia, y cuando todo marche sobre ruedas, procura no perderlas de vista.

MILDRED NEWMAN Y BERNARD BERKOWITZ

Margo tardó meses en ayudar a Sean, su hijo de cuatro años, a
controlarse para no pegar a sus amigos. Le enseñaba a hablar
cuando estaba enojado en lugar de pegar. (Di «Estoy enfadado
porque me has quitado el camión.») Veía a Sean pegando los
brazos a los costados como si fuera un soldado mientras liberaba
su frustración. Hablando con su madre, mencioné lo importante
que creía que era para ella darse una palmadita en la espalda por
el buen trabajo que había realizado con Sean. Margo se encogió
de hombros como si yo estuviera bromeando. ¿Por qué aplau-
dirnos como padres cuando en realidad nos sentimos miserables?

En mi trabajo a menudo obtengo *feedback* positivo sobre un
proyecto bien realizado. También pueden darme un premio
por haber perdido un par de kilos en un programa para adelga-
zar. Pero lo cierto es que los elogios por un buen resultado apenas podemos encontrarlos en ninguna otra faceta de la vida.
A decir verdad, la paternidad es una actividad que casi nunca
implica un sentimiento de «punto final» o consecución, exceptuando los casos en que nuestros hijos ganan en una competición deportiva o reciben honores académicos o artísticos.
¿Cómo se puede medir nuestro éxito a menos que seamos cons-

cientes de nuestros objetivos y del esfuerzo que supone alcanzarlos?

Celebrar los momentos en los que hemos conseguido ayudar al niño a solucionar un problema o apoyarlo en una decisión crítica nos proporciona un sentido de nuestra propia eficacia. Ante un nuevo obstáculo, podemos recordar que aprendimos a superarlos en el pasado y que podemos hacerlo de nuevo. Como padres, necesitamos todo el estímulo posible. Funcionamos mejor cuando nos sentimos fuertes. «¡Adelante! ¡Sigue así! ¡Lo estás haciendo muy bien!»

El trabajo de Margo para ayudar a su hijo a controlar su agresividad no era una nimiedad. Sean se disgusta con facilidad y reacciona posesivamente con los juguetes. Aprender a contener el enfado es un gran paso en su desarrollo e influirá en sus relaciones futuras y en la vida de quienes lo rodean. Una de las razones por las que prestamos poca atención a las formas en que ayudamos a nuestros hijos tal vez sea porque no sabemos que, de no haber intervenido, su desarrollo podría haber ido en otra dirección. ¿Es consciente Margo de que sin sus esfuerzos continuados Sean aún estaría empujando y propinando patadas a los demás niños en primero y segundo grado? ¿Sabe que su falta de autocontrol hubiera afectado negativamente a su capacidad hacer amigos? Debemos reconocer la importancia de la ayuda que ofrecemos a nuestros hijos en un desarrollo positivo, valorando los pequeños éxitos como grandes logros.

Además de aplaudir nuestro esfuerzo, también es útil observar los triunfos de otros padres. Nuestro elogio puede ayudarlos a valorarse a sí mismos. Cuanto mayor sea el apoyo mutuo, más y mejor realizaremos nuestro trabajo.

La cita que encabeza este capítulo, que nos urge a sentirnos orgullosos de aquellas cosas que hacemos bien, la he extraído del best-séller *Cómo ser el mejor amigo de ti mismo. Diálogo con dos psicoanalistas*, donde Newman y Berkowitz destacan hasta qué punto nos resistimos a sentirnos bien como resultado de lo que hacemos y cuánta infelicidad creamos con nuestra renuencia a tratarnos con amabilidad. Se lo debemos a nuestros hijos, a nosotros mismos y a otros padres por el magnífico trabajo que hacemos todos juntos. Cree en tus cualidades y recuerda que a menudo se necesita una crisis para identificarlas.

Haz una lista de tus logros como padre. Confecciona pegatinas y fíjalas en los espejos y el frigorífico, anotando los cambios conseguidos y felicitándote por tu esfuerzo.

Sé consciente de tus capacidades

Nadie puede valorarme en la justa medida [...]. Por mucho que alguien pueda valorar lo que ofrezco, nadie sabe lo que tardé en llegar a ser quien soy y poder ofrecer lo que ofrezco.

RONALD MAH

Actualmente, Rosemary es un claro ejemplo y una excelente referencia para otros padres, pero cuando la conocí se sentía completamente abrumada. Acababa de dar a luz a su tercer hijo, y a Patrick, su pequeño de dos años y medio, le habían diagnosticado el síndrome de Asperger. Rosemary se quedó estupefacta, pues no en balde el pediatra siempre había considerado su desarrollo como normal. El síndrome de Asperger, una forma más leve de autismo, a menudo se identifica cuando el niño es mayor, alrededor de los nueve años, ya que sus problemas en la interacción social no aparecen cuando son muy pequeños. Lingüísticamente hablando, Patrick se expresaba bien, pero Rosemary nunca se había dado cuenta de que su habla no era conversacional.

«Estaba tan confusa», recuerda. «Nunca había oído hablar de Asperger, y no tenía ni idea de lo que había que hacer. Desde luego, no tenía la menor intención de comentarlo con otros padres, y ni siquiera se lo conté a los míos durante dos meses.»

Rosemary dejó su trabajo bien pagado como abogada y empezó a informarse sobre aquella patología. Conoció casos de curas milagrosas y las probó, incluyendo una dieta sin caseína ni gluten y hacerle escuchar determinados tipos de música. Pero, lamentablemente, sus intentos fueron en vano. Sin embargo, durante el proceso, Rosemary empezó a aplicar sus cualidades en la vida al nuevo reto que tenía ante sí con su hijo enfermo.

«Como letrada de tribunales tengo poderosas habilidades organizativas y una extraordinaria capacidad de análisis», me dijo. «Estoy acostumbrada a defender a mi cliente de una forma objetiva sin perder la relación amistosa con el abogado de la parte contraria. He tenido que aprender a no tomarme las cosas personalmente y a ser creativa y tenaz. Todas aquellas cualidades han sido perfectas para lo que necesitaba hacer para Patrick.»

Leyendo cuanto caía en sus manos y contactando con grupos de apoyo, Rosemary se convirtió en una experta en proporcionar a su hijo el mejor programa educativo. Contrató a tutores y acudió al distrito escolar en solicitud de ayuda. En la actualidad, el pequeño asiste a preescolar en una escuela pública y está progresando en sus habilidades sociales y académicas.

Ahora, el distrito escolar atiende a padres con problemas similares a los de Rosemary y los orienta en el proceso que deben emprender para satisfacer las necesidades de sus hijos. Su capacidad analítica ha resultado esencial. En el futuro quiere ofrecer asistencia legal gratuita a padres con hijos con necesidades especiales.

Le habría resultado muy fácil dejarse caer en un ciclo de caída en espiral y extrema depresión tras el diagnóstico. En su adinerada comunidad, donde se valoran los grandes logros, algunas personas la trataron de otro modo al enterarse de que tenía un hijo con necesidades especiales. ¿Y qué? En realidad, el recurso a sus puntos fuertes para enfrentarse al desafío fue un camino de crecimiento para ella.

Siempre es una buena idea pensar en los logros pasados e identificar las extraordinarias cualidades que nos pueden ayudar como padres. Pero afrontar las dificultades con una actitud de «¡Puedo hacerlo!» amplía nuestras perspectivas. Concéntrate en tus capacidades.

¿Cuáles son tus puntos fuertes y cómo los adquiriste? En situaciones conflictivas, ¿qué habilidades utilizas?

La risa, un remedio infalible

Si tuviera la oportunidad de hacer un regalo a la siguiente generación, sin duda sería la capacidad de aprender a reírse de uno mismo.

CHARLES SCHULZ

Amanda oyó una vocecilla cantando en su dormitorio. El texto la hizo estremecer: «Cuando me levanto, me maquillo, la, la, la...». Curiosa, entreabrió la puerta. Su hija de dos años estaba allí de pie con una barra de labios en la mano. Se había pintado toda la cara y había rojo en las puertas de cristal de los armarios, las paredes y quién sabe dónde más. Cerró la puerta, bajó las escaleras y se sentó con la cabeza entre las manos. Tenía que concederse unos minutos de relax; de lo contrario estallaría. Pero cuando pensó en su hijita cantando, se echó a reír. «Observar el lado gracioso de una situación mantiene a salvo mi estado de ánimo y cuida mi salud. Son tantas las cosas que podrían sacarnos de quicio como padres. Nos pasaríamos todo el tiempo furiosos, y esto no es bueno para mí ni para mi hija.»

Recuerdo el día en que había llevado al veterinario al ratoncito de mi hijo de seis años. Tenía la gripe y descomposición gástrica, pero me daba igual. Matt se había echado a llorar por la mañana al ver que su mascota estaba enferma, y le prometí que lo llevaríamos al veterinario para que la curaran. Una vez allí, tuve que sujetar al ratón mientras el doctor le pinchaba. Sin embargo, se las ingenió para escaparse y lo perseguí por toda la consulta mientras el veterinario estaba allí de pie con la jeringuilla en el aire. Estuve a punto de vomitar. Cuando Matt regresó de la escuela, estaba en la cama. Le di la buena nueva:

«Mousie se pondrá bien». «¡Genial», exclamó, y salió al patio a jugar. Hubiera podido disgustarme por ni siquiera habernos mirado ni a mí ni a Mousie, pero enfadarme habría empeorado la sensación de náuseas que me recorría todo el cuerpo. De manera que decidí tomármelo a risa; ¡una chiquillada!

Reírse de uno mismo y de las situaciones ridículas en las que nos encontramos es una de las mejores formas de enfrentarse a la locura de la paternidad. Separar a dos niños empeñados en zarandearse de lo lindo puede desencadenar un ataque de furia o una sonora carcajada ante los peligros potenciales que supone intervenir como árbitro. Si nos tomamos las dificultades más a la ligera, estaremos mejor preparados para cambiar el estado de ánimo de nuestros hijos y perpetuar nuestros buenos sentimientos. Podríamos empezar a contar, como hacen los árbitros de boxeo, para poner fin a una pelea y luego mezclar los números: «Uno, dos, cuarenta y seis y cincuenta y cinco». A los niños pequeños les encanta reírse de nuestros errores.

En realidad, si aprendemos a recurrir al humor, preservaremos nuestro bienestar y nuestra salud. El mero hecho de sonreír aumenta el riego sanguíneo al cerebro y estimula la producción de neurotransmisores positivos. Estudios controlados han demostrado que el humor alivia el dolor, reduce el estrés y potencia la función inmunológica. Por otro lado, enojarse bombea adrenalina en la corriente sanguínea, desencadenando la primitiva reacción de «luchar o escapar», es decir, luchar con nuestros hijos o alejarnos de ellos.

Asimismo, reírnos de nosotros mismos o de determinadas situaciones también contribuye a mantener una perfecta conexión con el niño. Los padres que fomentan la risa en sus hijos tienen menos conflictos con ellos. Cuando el hijo de Laurie lloraba y pataleaba porque quería un helado de cornete de regreso a casa, solía decir: «Yo también quiero uno. El helado de cucurucho más grande del mundo. Tan grande como una montaña». Su hijo dejaba de llorar y extendía los brazos para hacerse una idea de cuál sería su tamaño. La técnica de exagerar cómo querríamos cumplir los deseos del niño, aunque sea imposible en aquel momento, permite alinearnos emocionalmente con él.

Cuando reímos con un niño, o con otro adulto, nuestra energía se mezcla con la suya y nuestros pensamientos vuelan libres como pajarillos en direcciones más positivas.

La paternidad requiere una ingente cantidad de callados sacrificios e increíbles actos de amor y autocontrol. Entretanto..., ¿por qué no reírnos un poco?

¿Recuerdas alguna anécdota divertida que formara parte de la «cultura» familiar en la que creciste? ¿De qué solías reírte? Y ahora, ¿sueles optar por el lado humorístico de las cosas?

CUARTA PARTE

LO MEJOR QUE HACEN LOS PADRES MUTUAMENTE

En mi opinión, una de las cosas más importantes que podemos aprender es tratarnos con tolerancia y trabajar juntos por el bien de los niños, no sólo de nuestros hijos, sino de todos los niños. La base común de semejante cooperación no es tener el mismo estilo de vida o una misma creencia religiosa, sino el hecho de que nos haya sido confiado el cuidado de la siguiente generación. Tenemos la oportunidad de marcar la diferencia en su vida, y éste es el don más preciado que podemos ofrecerles en el futuro.

Nuestra sociedad materialista estimula la competitividad entre los padres. En fácil envidiar a una madre que puede comprarle más cosas a su hijo. Es difícil no sentirse competitivo con algunos padres cuyos hijos sacan calificaciones más altas en los exámenes o mejores resultados en los tests de inteligencia. Esto es lo que valora nuestra sociedad. Pero en nuestra compleja era, ni las posesiones ni las calificaciones ni los tests de inteligencia son indicadores de la persona en la que se convertirá un niño. Vivimos en un tiempo de influencias y valores tan variopintos que los padres no deben caer en la tentación de comparar y competir. El único modo de proteger los talentos potenciales más valiosos de los niños es cooperar, trabajar juntos para ir mucho más allá de las divisiones ilusorias de «mi hijo» y «tu hijo».

En mi trabajo me reconforta el apoyo y la comprensión diarios que me ofrecen innumerables personas que saben cuidar de los niños. ¡Es una sensación extraordinaria! A decir verdad, todos necesitamos ayuda para desempeñar nuestro rol de cuidadores de futuros adultos, y buscar nuevas formas de ayudarnos es una manera de procurar una vida mejor a las familias tanto hoy como en las próximas generaciones.

CAPÍTULO 10

CONSTRUYE PUENTES
HACIA EL FUTURO

Ponte en su lugar

Es una de las recompensas más hermosas de la vida que nadie intente ayudar a un semejante sin ayudarse primero a sí mismo.

RALPH WALDO EMERSON

Un rato a solas por la noche es algo de lo que Ann puede disfrutar muy de vez en cuando. Su ex marido Allen viaja por trabajo y casi nunca tiene la oportunidad de llevarse a casa a Abe, su hijo, a dormir. Una de aquellas noches sonó el teléfono, precisamente cuando estaba tomando un baño. Ann se desesperó al ver el número de Allen en el identificador de llamadas. ¿Estaría enfermo? «Pero me disgusté aún más si cabe al oír lo que Allen tenía que decirme. Empezó a llamar a Abe "mocoso" porque no quería acostarse. El niño no estaba acostumbrado a pasar la noche en casa de su padre y tenía miedo. Allen no sabía qué hacer y quería llevar Abe de nuevo con su madre.»

Ann apenas podía contener la rabia. Había sido tan flexible al confeccionar el programa de visitas para ajustarlo a las necesidades de Allen y ahora pretendía «robarle» su única noche a solas en casa. ¿No podía mostrarse un poquito más comprensivo? Estaba a punto de calificarlo de «padre horrible» cuando pensó en la pregunta que acaba de formularle a Allen para sí misma. ¿Podía ella mostrarse «un poquito más comprensiva»? Como dijo Ben Franklin en una ocasión, «cazas más moscas con miel que con vinagre».

Como comercial de ventas, Ann es una excelente comunicadora y es consciente de que con afabilidad se consigue todo en este mundo, incluso con su ex. Esta vez, sus esfuerzos tuvieron un efecto inmediato. «Ya sé que acostar a Abe es duro. En ocasiones también yo pierdo la paciencia.» Allen cambió de actitud y le pidió consejo sobre lo que tenía que hacer. Acabaron hablando durante media hora, compartiendo ideas y consolándose mutuamente por las dificultades que entrañaba la paternidad. «No podía creer que todo hubiera dado un vuelco tan rápido. Conversar fue muy útil para los dos. Quiero que Abe y su padre mantengan una buena relación, y haber descargado toda mi ira hubiera sido desastroso.» Por otro lado, aquella mutua comprensión también resultó de ayuda a Abe. «Dado que quiero que Allen sea un buen padre, he intentado pensar en las cualidades que pueden resultar útiles para el niño. Cuando lo trato con amabilidad, aquellas cualidades afloran de inmediato.»

No es la primera vez que me he quedado sorprendida por la habilidad de Ann en relacionarse con su ex marido con un propósito más elevado *in mente*. En este caso, no criticar a Allen evitó que se sintiera un padre incompetente y se rindiera. Admitir sus propios problemas con el niño a la hora de acostarlo les permitió hablar en un plano de igualdad, ayudando a sentar las bases de la copaternidad en el futuro. Su actitud me recuerda una cita de las escrituras budistas:

Uno en todo,

Todo en Uno.

Basta darse cuenta.

No hay que preocuparse de no ser perfecto.

Construir un puente que modifique nuestro pensamiento acerca de lo bueno y lo malo, lo más elevado o menos elevado, lo correcto y lo incorrecto, es una de las cosas más productivas que podemos hacer con los demás. Ofrecer comprensión a Allen a pesar de todos sus errores pasados y presentes ha hecho que su relación sea menos competitiva y más cooperativa. Ann no tiene por qué ser la madre perfecta que lo sabe todo y que intenta modelar a su ex pareja a su imagen y semejanza. Ambos están aprendiendo a educar a un hijo.

Una de las mejores cosas que pueden hacer los padres es admitir sus errores y aceptar las debilidades de los demás en pro del bienestar del niño. La capacidad de comprender el punto de vista del maestro sobre las responsabilidades del alumno o del cuidador es con frecuencia la clave de un trabajo conjunto satisfactorio. Nuestra opinión de que el maestro pone demasiados deberes para hacer en casa o de que el cuidador no impone el comportamiento que deseamos fomentar en nuestros hijos no tiene por qué desembocar en conversaciones de rivales. Debemos prestar oídos a las preocupaciones de los demás, comprendiendo que cada uno de nosotros ve al niño desde una perspectiva diferente, y luego tender un puente que no se base en ideas de lo que es o no correcto para poder así interactuar como seres humanos tolerantes.

Piensa en alguien cuyo punto de vista acerca de la educación de los hijos difiera del tuyo y haz una lista de las cualidades de esa persona.

Busca orientación

Nadie es una isla en sí mismo.

JOHN DONNE

Cuando Michael se enteró de que iba a ser padre, quedó paralizado, y más cuando su mujer, Caryl, le dijo que serían gemelos. Su primer pensamiento consciente fue: «Voy a necesitar ayuda». En realidad, no sabía qué tipo de ayuda iba a necesitar, pero transcurridos algunos meses surgió la idea. Quería organizar una fiesta, una especie de transición a la paternidad, que lo ayudara a sentirse seguro de sí mismo ante la perspectiva de ser papá.

A la fiesta acudieron abuelos, padrastros, padres de mellizos y otros de niños de todas las edades. Todos ardían en deseos de ofrecerle consejo. «Aparecieron dos puntos de vista y los dos podían ser útiles», me dijo. «Uno consistía en implicarse en la educación del niño de todas las formas posibles –enseñarles, jugar con ellos, orientarlos, descubrir el entorno–. Éste es el tipo de padre en el que me he convertido. El otro enfoque era dejarse llevar por la pasión para que todo fuera el resultado de un amor y unos sentimientos auténticos.»

Ahora los gemelos de Michael tienen siete años y él participa constantemente en innumerables actividades. Arreglan el jardín, construyen cosas, observan los pájaros y animales, cocinan y juegan juntos cada día. Michael admite que el segundo punto de vista también le ha ayudado. La tarea ha resultado ser mucho más exigente de lo que había previsto, y cuando tiene que ausentarse de casa por razones de trabajo siempre piensa en lo que le aconsejaron: «También tienes que hacer lo que te gusta y todo saldrá bien».

Al volver la vista atrás, siente una gratitud imposible de expresar con palabras. «Quería tener una fiesta que honrara la paternidad en sí misma, un evento en el que los padres se sintieran a gusto con su rol. No sería capaz de reconocer mis ideales como padre sin saber cuáles son los de los demás. Pretendía que aquella celebración sentara las bases de una futura tradición de padres conectando entre sí. No hemos vuelto a hacerlo formalmente desde entonces, pero hablo muy a menudo con otras parejas y compartimos experiencias.»

Cuando los padres establecen vínculos mutuos, obtienen mucho más que el consejo específico que andaban buscando. Adquieren conciencia de que la paternidad no es algo que están haciendo solos. Los asistentes a la fiesta de Michael estaban ansiosos por compartir, pues son pocas las ocasiones que tienen los padres para expresar sus sentimientos acerca de su maravillosa experiencia de ser papá. Oímos a diario hasta qué punto las madres tienen que esforzarse en su difícil cometido, pero casi nunca se habla de los hombres y del cambio radical que se opera en su rol.

Pedir la orientación de alguien es una forma de reconocer que somos aprendices. Cuando hablamos con nuestra madre, hermana, amigo o profesional, estamos diciendo: «Pensamos mejor juntos y no temo confesar que necesito ayuda. Si hablamos, tal vez podamos planificar y hacer mejor las cosas».

En la mente de aquellos hombres, ser padre probablemente les ofreció una de las experiencias de aprendizaje más importantes de su vida. Conectando con los demás estaban diciendo: «Compartimos estos ideales y nos apoyaremos mutuamente para poder alcanzarlos». Esta declaración como personas deseosas de aprender me recuerda un verso de un poema de Robert Frost: «Los hombres trabajan juntos tanto si trabajan juntos como si no».

¿A quién acudes en busca de orientación? Haz una lista de mayor a menor según sea la calidad del apoyo que te ofrece cada cual.

Planificad juntos

Nunca habrá dos personas que vean las cosas exactamente del mismo modo. El pensamiento otorga respeto a la soberanía de la mente única de cada persona.

DANIEL SIEGEL Y MARY HARTZELL

Cuando Laura y John se mudaron a un nuevo vecindario, les encantó saber que había otro niño de la edad de Daniel en la casa de la acera de enfrente, y muy pronto, Edward y Daniel, empezaron a jugar juntos en casa de uno y de otro. Pero Laura no tardó en darse cuenta de que las dos familias tenían puntos de vista radicalmente diferentes acerca de la televisión. «Nos asombró que en casa de Edward tuvieran la tele puesta todo el día. A Daniel no le dejamos verla, sólo vídeos. Cuando nuestro hijo iba a casa de Edward acababa irremisiblemente pasando horas frente al televisor.»

Laura habría podido tomar la decisión de no dejar ir a su hijo a casa de su amigo, pero reflexionó y planteó la situación de otro modo: propuso a la madre de Edward confeccionar un plan. Comentó a Sue que la televisión había influido muy negativamente en su hijo Daniel cuando tenía cuatro años. Se había vuelto tan agresivo con sus amigos que finalmente decidieron prescindir de ella en casa. Al enmarcar la situación como un problema propio de Daniel, Laura sabía que Sue se sentiría menos amenazada por una supuesta crítica de mala paternidad.

Sue se mostró abierta a solucionar la cuestión y expresó su propio punto de vista al respecto. Ella y su marido habían observado que la televisión tranquilizaba a Edward y que, de vez en cuando, era necesario someterlo a esta especie de terapia televisiva para que se relajara. Sue quería que Daniel siguiera viniendo a su casa a jugar con su hijo, y acordaron que durante su estancia no verían la televisión, sugiriendo la posibilidad de acompañarlo a casa en los momentos en que Edward necesitara tranquilizarse. La mayoría de las veces la apagaba cuando llegaba Daniel.

Comprometerse a elaborar un plan no siempre es fácil, pero lo cierto es que el de Laura y Sue duró varios años. De adolescentes, ambos han seguido siendo buenos amigos. Ambas familias demostraron que todo el mundo sale beneficiado cuando no se polarizan las situaciones.

Estoy convencida de que una de las claves más importantes de este tipo de comunicación es esperar y respetar las diferencias. Los padres pueden disgustarse cuando sus vecinos, cónyuges o cuidadores ven las cosas de un modo diferente al suyo. Sin embargo, casi nunca he visto una situación relacionada con los niños que no genere percepciones invariables. Ahora tenemos la oportunidad de potenciar nuestra comprensión mediante el diálogo y el trabajo conjuntos.

Para llevar a cabo un plan hay que analizar objetivamente las dinámicas de la situación de que se trate, decidiendo cuáles son las soluciones positivas más apropiadas. Planificar nos permite anticiparnos a las situaciones y responder de una forma equilibrada. De visita en casa de unos amigos, nos comentaron que se habían ceñido a su plan de no prolongar el horario de vuelta a casa de su hija adolescente la noche anterior, a pesar de haber supuesto una discusión de tres horas. La planificación les permitió adoptar una posición de firmeza.

Cuando comprendemos lo que queremos, el plan nos proporciona claridad y fuerza mental para mantenernos firmes en nuestros principios. Asimismo, planificar en colaboración con otros también ayuda a romper nuestras ideas tradicionales de lo que significa interrelacionarse. Nos preocupamos de nuestros hijos y ampliamos nuestro concepto de familia.

¿En qué aspectos de la educación de tu hijo coincidís tú y tu pareja? Haz una lista de los valores de cada cual y describe cómo habéis aprendido a trabajar juntos?

Amplía tu idea de familia

Debemos cuidar no sólo de nuestro hijos sino también de los de los demás. Debemos ser conscientes de que el bienestar de nuestros hijos está estrechamente relacionado con el de los hijos de los demás [...]. La calidad de vida de nuestros hijos sólo se puede garantizar si también se garantiza la de todos los niños del mundo.

Lilian Katz

Bonnie sabía que el padre de Tom tenía problemas con el alcohol incluso antes de que Tom llamara diciendo que se había escapado porque su padre lo había amenazado físicamente. Tom y Derek, el hijo de Bonnie, habían sido amigos desde secundaria. Lo habían encontrado en un parque, solo y sin pertenencias. Afortunadamente, en el condado de residencia de Bonnie, la ley permite acoger a un adolescente que se ha fugado de casa. Bonnie ofreció a Tom la posibilidad de que se quedara con ellos en casa, en la que ya había dos niños y dos niñas.

Los padres de Tom estaban divorciados, y Bonnie sabía que Tom lo estaba pasando muy mal con tantas idas y venidas entre la casa de papá y mamá. «Algunos se enojan y dicen: "No es justo", y luchan. Otros prefieren sufrir por dentro. Aquél era el caso de Tom. Era muy inteligente, pero a causa de aquella desagradable situación estaba echando a perder sus estudios. No aceptaba el sistema, y decidí darle una oportunidad», dijo Bonnie. La madre de Tom recurrió a los tribunales y obtuvo la custodia única de su hijo. Daba gracias a Dios de que Tom viviera con Bonnie y su familia.

De la noche a la mañana, Bonnie vio aumentada su familia

y empezó a proporcionar a Tom la estructura que en su opinión necesitaba. Le dijo que tenía que ir a la escuela todo el día o trabajar a jornada completa, o bien hacer las dos cosas al mismo tiempo a media jornada. También lo incluyó en el programa de tareas domésticas en casa como todos los demás. El alcohol y las drogas estaban terminantemente prohibidos. Tom aceptó, y aunque al principio estaba algo confuso, parecía comprender que estar allí era bueno para él. «Pusimos a su disposición todos nuestros recursos, supliendo la incapacidad transitoria de sus padres, enzarzados en legalismos.»

Bonnie se aseguraba de que Tom hiciera sus deberes cada noche. Ni siquiera sabía si llegaría a graduarse algún día, pero lo importante entonces era estimularlo. Cuando por fin, para regocijo de todos, lo consiguió, Tom dijo que no quería asistir a la ceremonia, pero Bonnie le urgió a hacerlo. La madre de Tom y Bonnie se sentaron juntas en el salón de actos. Aquel día tenía un significado muy especial para las dos.

A los veintiún años, Tom sigue viviendo con Bonnie y su familia, y ahora trabaja. Ha descubierto su capacidad de esforzarse en pos de un objetivo común y de relacionarse con los demás, incluida su madre. «A veces la gente necesita espacio para convertirse en quien puede ser», dice Bonnie. «Me pasó lo mismo cuando era adolescente. Discutía con mi madre a todas horas. Luego, con la ayuda de un buen amigo de la familia, me mudé a casa de mis abuelos con el pretexto de poder ir a un colegio mejor. La distancia me proporcionó el espacio que necesitaba para valorar a mi madre. Hoy somos grandes amigas. Me siento tan privilegiada de poder devolver todo cuanto me habían dado... Ahora Tom es un miembro más de nuestra familia, ¡y me encanta!»

Al igual que las plantas, en ocasiones el ser humano necesita otra tierra para crecer mejor. Las personas como Bonnie, capaces de ofrecer a un niño cuanto tienen deben ser un ejemplo a seguir. Encarnan la sabiduría de la cita popular que dice: «Se necesita un mundo para educar a un niño». Cuando nos damos cuenta de que todos los niños merecen nuestro cuidado, estamos creando una visión de un mundo nuevo en el que todos los niños recibirán amor y respeto por sus exclusivas cualidades.

Piensa en los niños a los que quieres y deseas motivar.

Cree en el Nuevo Mundo

Si quieres que el hábito de la gratitud colme tu vida [...], debes desarrollar la creencia de que estás aquí en la Tierra para cumplir una misión en el mundo.

M. J. RYAN

En los años sesenta, Tessie tenía seis años. Era una de las niñas afro-americanas cuyo coraje el psiquiatra Robert Coles intenta comprender. Tessie era uno de los cinco niños que habían contribuido a iniciar el proceso de abolición de la segregación racial en Nueva Orleans. ¿Qué fuerza interior la urgió a dirigirse a las autoridades federales abriéndose paso entre multitudes que, entre un mar de obscenidades, la daban ya por muerta? Tessie llevaba la cabeza alta, con un porte sereno y estoico durante todo el proceso. Indagando los posibles motivos de su inusitado valor, Coles observó que la niña había heredado aquella fuerza de Martha, su afable y bondadosa abuela, una mujer que había aceptado el rol de la paternidad y que la acompañaba a las sedes del distrito cada mañana, cuando papá y mamá estaban trabajando. Hablaba apasionadamente a su nieta del nuevo mundo que estaba ayudando a crear, a pesar de la violencia que se fraguaba a su alrededor.

¿Ves, pequeña? Tienes que ayudar al Señor en su mundo nuevo. Nos ha puesto aquí y nos pide que lo ayudemos. Llegará el día en que en la McDonough School todos te apreciarán. Señor, rezo por ellos, por esos pobres desdichados que te insultan [...]. Se asustan de sus propias ideas, pero cuando te hayas graduado dentro de algunos años, habrán cambiado de opinión, te sabrán una igual y te respetarán. ¡Por Dios que así será!

Durante muchas conversaciones con Tessie, Coles descubrió que había aprendido a verse no como una víctima, una pobre niña negra que intentaba entrar en un mundo que la marginaba, sino como alguien que «ha recibido el encargo de prestar un servicio a una población menesterosa». Su abuela la había convencido de que formaba parte del plan de Dios de contribuir al nacimiento de algo nuevo en su comunidad y en su país.

Martha tenía una visión del mundo que quería para sus hijos y nietos, y tuvo la inmensa suerte de vivir en un momento único que le permitía hacer realidad sus sueños. Varios meses más tarde, sus palabras demostraron ser ciertas: todos se habían tranquilizado y ya no prestaban atención a Tessie. Martha hubiera podido considerar las amenazas y la violencia del Sur de los años sesenta como signos de un próximo apocalipsis. Podría haberle dicho a su nieta que la gente que la insultaba era el demonio y que debía pagar con la misma moneda. Pero no fue así. Le dijo que tenían miedo y que debía compadecerse de ellos. El plan de Dios para el mundo prevalecería.

Personas como Martha son modelos de rol. También nosotros vivimos una era excepcional, y la forma en la que interpretemos los acontecimientos que se producen a nuestro alrededor influirá en la creencia de nuestros hijos acerca del mundo. Verán un futuro de esperanza o desesperanza. Nuestra visión del nuevo milenio no debe estar modelada por el sensacionalismo o el fausto de los medios de comunicación. A ti te corresponde descubrir los potenciales positivos de la nueva era y creer que tus hijos ayudarán a crear un nuevo mundo.

Los New Troubadours cantan una canción titulada *Let New Worlds Grow from Us* (Dejad que los nuevos mundos crezcan en nosotros). Todos los niños del mundo necesitan nuestros pensamientos positivos y nuestras oraciones. También necesitan nuestra fe en que la forma en la que nos enfrentamos a nuestra vida individual es crucial para conseguir que nuestra visión del mundo se haga realidad. Aún estamos a tiempo.

Escribe una carta a tu hijo para que la abra en el futuro. Explícale las experiencias que esperas que tenga en la vida. Comparte los dones y las cualidades que crees que lo ayudarán a alcanzar todo cuanto se proponga.

BIBLIOGRAFÍA

Lo mejor para tu hijo

Apter, Terri, *El mito de la madurez en la adolescencia*, Paidós Ibérica, Barcelona, 2004.

Coles, Robert, *The Call of Service: A Witness to Idealism*, Houghton Mifflin, Nueva York, 1993.

Eyre, Richard y Linda, *Teaching Your Children Joy*, Fireside, Nueva York, 1994.

Friedman, Judy S., *Easing the Teasing*, Contemporary Books, Nueva York, 2002.

Ginott, Haim, *Between Parent and Child* (nueva edición), Three Rivers Press, Nueva York, 2003.

Glasser, Howard, y Easley, Jennifer, *Transforming the Difficult Child: The Nurtured Heart*, Children's Success Foundation, Tucson, 1998.

Gottman, John, Declaire, Joan, y Goleman, Daniel P., *The Heart of Parenting: How to Raise an Emotionally Intelligent Child*, Simon and Schuster, Nueva York, 1997.

Isaacs, Susan, y Ritchey, Wendy, *I Think I Can, I Know I Can*, St. Martins Press, Nueva York, 1991.

Kraizer, Sherryll, *The Safe Child Book: A Commonsense Approach to Protecting Children and Teaching Them to Protect Themselves*, Fireside, Nueva York, 1990.

Levine, Mel, *Mentes diferentes, aprendizajes diferentes*, Paidós Ibérica, Barcelona, 2003.

Markova, Dawna, *How Your Child Is Smart: A Life-Changing Approach to Learning*, Conari Press, Berkeley, 1992.

Ricci, Isolina, *Mom's House, Dad's House: Making Two Homes for Your Child*, Fireside, Nueva York, 1997.

Shapiro, Lawrence E., *El lenguaje secreto de los niños: cómo comprender lo que tus hijos intentan decirte*, Urano, Barcelona, 2004.

Siegel, Daniel, y Hartzell, Mary, *Ser padres conscientes: un mejor conocimiento y comprensión de nosotros mismos contribuye a un desarrollo integral y sano de nuestros hijos*, La Llave, Vitoria, 2005.

Simmons, Rachel, *Odd Girl Out: The Hidden Culture of Aggression in Girls*, Harcourt, Nueva York, 2002.

Wolf, Anthony, *The Secret of Parenting: How to Be in Charge of Today's Kids —From Toddlers to Preteens— Without Threats or Punishment*, Farrar, Straus y Giroux, Nueva York, 2000.

Lo mejor para ti

Braner, Lisa Groen, *The Mother's Book of Well-Being*, Red Wheel/Weiser, Boston, 2003.

Buckingham, Marcus, y Clifton, Donald, *Now, Discover Your Strenghts*, Free Press, Nueva York, 2001.

Capacchione, Lucia, *The Creative Journal for Parents: A Guide to Unlocking Your Natural Parenting Wisdom*, Shambhala, Boston, 2000.

Carlson, Richard, *Tú «sí» puedes ser feliz: cinco principios que tu terapeuta nunca te reveló*, Arkano Books, Móstoles (Madrid), 2004.

Faber, Adelle, y Mazlish, Elaine, *Padres liberados, hijos liberados*, Medici, Barcelona, 2003.

Hay, Louise, *Usted puede sanar su vida*, Urano, Barcelona, 1992.

Holt, Pat, y Keterman, Grace, *When You Feel Like Screaming*, Shaw, Colorado Springs, 2000.

Huber, Cheri, y cols., *Time Out for Parents: A Compassionate Approach to Parenting*, Compassionworks, Mountain View, California, 1994.

Lamott, Anne, *Traveling Mercies: Some Thoughts on Faith*, Anchor, Nueva York, 2000.

Lara, Adair, *Hanging Out the Wash: And Other Ways to Find More in Less*, Conari Press, Berkeley, 2002.

Lerner, Harriet, *The Dance of Connection: How to Talk to Someone When You're Mad, Hurt, Scared, Frustrated, Insulted, Betrayed, or Desperate*, Quill, Nueva York, 2002.

Newman, Mildred, y Berkowitz, Bernard, *Cómo ser el mejor amigo de ti mismo. Diálogo con dos psicoanalistas*, Urano, Barcelona, 1988.

Ryan, M. J., *Attitudes of Gratitude: How to Give and Receive Joy Every Day of Your Life*, Conari Press, Berkeley, 1999.

—, *The Power of Patience: How to Slow the Rush and Enjoy More Happiness, Success, and Peace of Mind Every Day*, Broadway Books, Nueva York, 2003.

Seligman, Martin, *Learned Optimism: How to Change Your Mind and Your Life*, Free Press, Nueva York, 1998.

Wilson, Paul, *Manual del antiestrés*, Plaza & Janés, Barcelona, 2000.

Zinn, John Kabat, *Full Catastrophe Living: Using the Wisdom of Your Body and Mind to Face Stress, Pain, and Illness*, Bantam Books, Nueva York, 1990.

EL NIÑO Y SU MUNDO

Títulos publicados: